ユーラシア的戦争について

詩史と世界史をとおって行く

瀬尾育生

言視舎

ユーラシア的戦争について――詩史と世界史をとおって行く　目次

凍土のなかへ、東端の夜明けの側から入ってゆく。
……
わたしたちは夜を抜けてきたのか
それともまだ白昼を知らないのだろうか。

――「東回り」2023.1

聖戦遂行型戦争機械について

2009.3

満州／天沢退二郎／ミシェル・フーコー／北川透／北京／新京／グルジア／ウイグル／チベット／ドゥルーズ＝ガタリ／カール・ハウスホーファー／石原莞爾

I

帝国主義

近代日本の朝鮮半島、中国大陸への侵略は、一八九四年日清戦争後台湾を領有し、朝鮮半島、遼東半島の権益を得ることではじまる。三国干渉の結果、満州部分の権益をロシアに奪われるが、日露戦争後樺太南部を領有するとともに、朝鮮半島での権利を確保し、満州地域での権益をロシアから引き継いでいる。これが日本がアジア地域で唯一の帝国主義本国として自己形成するプロセスであるが、ここまで日本の侵略は経済的・軍事的な版図を確保するための領土拡大という、ナショナルな戦略の延長上で動いている。対外侵略のこの性格が本質的な変化を見せるのは日露戦争（と日比谷事件）以後、とりわけ一九一〇年日韓併合以後のことである。

一九一〇、二〇年代、国民国家から帝国主義本国への変容に対応して、まず日本国内の社会的な構造変容が起こる。帝国主義段階への移行期に、階級構成が崩壊しながら、各階級からの脱落者を生み出し、これが対外進出の尖兵の役割を果たすことになるが、こうした社会の分解はさらにすすんで、全体としての大衆（マッセ）社会へと移行してゆく。人々の心情をこの時代の詩的言語に象徴させるならば、国民国家の飽和段階を口語自由詩が象徴し、ついで階級脱落者の登場をモダニズム詩が象徴することになっている。このことと並行して日本の対外戦略の変容は、侵略によるナショナルなものの拡大、というモチーフから、一転して「世界性」を直接に舞台としたものになる。これを政治・軍事のモダニズム化と呼んでもよい。たとえば日露戦争期までの日本軍隊は乃木希典、東郷平八郎に象徴される国民の軍隊である。だが大正期に入って階級脱落者の逸脱的な感性が軍隊内に入り込むようになると、軍隊規律のデカダンスとともに、この逸脱的な感性そのものを軍の論理に内在化させて、「独断専行」を個々の軍人だけでなく、軍隊そのものの原理として導入することになった。こうして軍事がモダニズム的な世界同時性のなかで動き始める。

第一次大戦後、日本は満州での利権を半永久化するとともに、欧米列強とともに中国進出への足がかりを得た。このことは領土的な野心という部分とソ連に対する空間的な防衛という意味を併せ持っている。若槻内閣時代までを主導する幣原喜重郎外相の国際協調外交は、第一次世界大戦以降の、国民国家単位のあたらしい複数的な国際関係への信憑によって支えられていた。だが満州事変以降の戦争は国民国家の戦争ではない。そこに決定的に異質なものが加わっている。

満州建国

石原莞爾が関東軍作戦主任参謀として満州に入ったのは一九二八年一〇月、つづいて板垣征四郎がこれに加わる。柳条湖事件以降石原と関東軍は、英米ソがそれぞれに恐慌以後の国内問題に忙殺され、中国国民政府軍が共産党軍との闘争に主眼をおき、張学良軍が不抵抗を方針とする狭間をかいくぐって満州全土を制圧し、ただちに満州を日本国家の占領下に置くことを主張した。しかしこれは当時の国際関係の許容範囲をこえているから、幣原を中心とする政府は関東軍に撤退を求める。一般に想定されたのは、第一に満州に中華民国の主権下の親日政権を打ち立てる、第二にこの政権を中華民国から独立させる、第三に日本軍が満蒙地帯を占領する、というプログラムであった。陸軍中央もまた、当時国民国家の軍事装置としての性格を維持していたから、いったんは政府に同調している。だがこのとき政府と陸軍中央を亀裂させたのは何よりも国民世論とマス・ジャーナリズムであった。世論とジャーナリズムが関東軍を圧倒的に支持するのに押されるようにして、陸軍はやがて政府の方針から離反し、同年末若槻内閣の崩壊と幣原外交の終焉とともに、満州をめぐるプログラムは直接に独立国家の建設をめざすことになる。国防・運輸・通信を日本が掌握した、限りなく保護国に近い独立国としての満州国の建国が日程にのぼった。

一九三二年日満議定書が調印される。清朝の廃帝溥儀を皇帝とし、東北部の実力者四人によって内閣を形作り「王道楽土」「五族協和」をスローガンとした。これがこの人工国家の傀儡、すなわち自動人形の部分であり、この手使い人形の下から関東軍が手を差し込んでいる。人口比一パーセントに満たない少数民族である日本人の支配を関東軍のプレゼンスが支えており、関東軍・満鉄・新官僚による統制経済・重工業中心の産業誘致・武装農民の入植をはじめ国家建設の下部構造では、臨陣格殺（「匪賊」は現場指揮官の判断で処刑してよい）の脅迫のもとに置かれた中国人、満州人の徹底した収奪と強制労働が遂行されていた。

満州帝国の傀儡性は現在では自明に見えるし、当時においても国際社会から見れば自明であったにちがいない。だが日本国内から見ればそれはまったく別の意味を持っていた。内地の日本人たちが満州にある理想郷、あらたな別天地を夢見ることになったのは、世界大恐慌に翻弄された一九三〇年代初めの都市や、冷害凶作に痛めつけられた農村が、最後の可能性としてそれを選択したからとばかりは言えない。満州は《日本で出来ないことを試みる、知的・芸術的・行政的・イベント的実験の場としての先進性を備えていた》[*1]。そこにはある鏡像的な関係、近代日本が欲望として抱いておりながら、国内では決して現実化できなかったさまざまな観念が投射されるスクリーンのようなものがつくられていた。

鏡像国家

日清戦争後の台湾、日韓併合後の朝鮮半島においては同化政策が採られ、これらの地域は日本の国家権力のもとに日本国の版図に加えられている。だが満州につくられたのは傀儡国家である。それは満州事変以後関東軍が軍事的に支配下においた地域だが、そこに関東軍は中国の主権下の親日的な地方政権を打ち立てたのでもなく、直接に領土化したのでもない。現実に行なわれたのは日本人以外の諸民族の抑圧と収奪、資源の調達、日本人の入植、この地域の軍事的空間としての占有等であるが、理念としてここには一つの独立国家、なによりも日本こそがそれを必要とした、ひとつの鏡像国家のようなものが存在していた。

たとえば総動員体制は、日本国内ではなく満州国でまずその模型が作られた。満州独立政策に転向したあとの石原莞爾は満州青年連盟が母体となってつくられた満州協和党を、ナチスやソ連共産党にアナロジカルな満州協和会という一党独裁組織にしようとした。一九三二年七月満州協和会は溥儀を総裁とし、本庄関東軍司令官のもとに成立するが、翌月石原らが満州を去ると理事長甘粕正彦のもとで上意下達のための総動員組織に変わる。協和会はこうしてその頽落形とともに《日本本土に逆輸入されて大政翼賛会になったという説がある》[*2]。大政翼賛会はあらかじめ満州で実験されており、満州国は日本の総動員体制構築のための媒介になっている。

一九三四年それまで執政であった溥儀は皇帝に即位するが、この皇位は呼称から法的規定にいたるまで日本天皇制のレプリカのような性格を持っている。溥儀自身が天皇との同一性によってみずからを権威づける意向を持っていたこともあるが、伊勢神宮から靖国にいたる宗教的背景も、建国神廟・建国忠霊廟という翻訳形に移されており、関東軍はあきらかにそこに日本近代天皇制の模型を作ろうとしていた。《日本と満洲国とはあたかもあわせ鏡のなかの像のように、日本は満洲国の像のなかに、満洲国は日本の像のなかに各々を投映させて無限の像を重ねてゆく[*3]》。日満一体となってすすめられた高度国防国家の形成についても同じことが言える。《石原らの「改革」は日本自体を軍事国家に「改革」しようとして直接には遂行できないため、まず満州を国防国家に仕立て、それを拠点として日本経済を統制化できる程度に「改革」する[*4]》というように、日本はあえて自らの横に鏡像国家をつくり、それと相互媒介することによって戦争体制を作り上げた。

モダニズム空間

日本近代はなぜこのような鏡像国家、仮象国家 Scheinstaat を必要としたのだろうか。日本近代はペリー来航による外傷によって始まる、という虚構は、それまでの列島内の封建的共同体が外部の勢力によって外に向って開かれた、という事態を、万世一系の天皇という生命原理にのっとったアイデンティティによって受け止めるところから生じている。開国を受け止めるために生命体のイメージをもってしたことが、開国を「外傷」という虚構に変える。だがこのこと自体は後発的な近代化国家において一般的に起こることだ。日本ではそれにくわえて、アジアにおける唯一の近代化国家として、民族的にも地政学的にもヨーロッパ内の後発近代化国とは異なった特性をはじめから刻印されている。

日本の国民国家としての自己形成が急速に成就したのは、国家の規模が小さく、かつ内部的な均質性がすでに高度に形成されていたからである。江戸時代の鎖国が内部的均質性をあらかじめ準備していた。[*5] だが帝国主義段階にはいって国民的な一体性が分解し、農村共同体、都市共同体が解体されるにともなって、ふたたび開国時の外傷の虚構が賦活される。日本近代はこの時期までどうしても同化できない異物感を自らの近代化について抱き続けてきたが、その異物はどうしても一度、自らの創造物として、よく見える位置に外化されなければならなかった。

帝国主義時代に人々がさらされるようになった世界性を、一国の国家権力が手に入れようとすると、ドイツやソ連におけるような世界観権力がインターナショナルな理念によって、それまでのナショナルな共同体に激しい分割線を入れる必要があった。たとえば同じ時期のドイツにおいては、社会を大規模な大衆化が襲い、国民国家を支えた階級社会の差異化された社会構造が、均質な大衆の無構造な流動性に置き換えられる。そしてこれに全体主義的な大規模な運動性を与えるために、ユダヤ人・社会主義者等の異質者への激しい排除の力学が必要だった。だが同じ時期、日本国内の社会的な排除の運動はそれほど大規模なものにはならなかった。政治権力による社会主義者・朝鮮人に対する弾圧・差別は激しかったが、全体としての知識人たちを襲ったのは亡命や追放や集団殺戮ではなく、主として内面的な「転向」であって、それぞれの理念をすこしずらしさえすれば、大政翼賛会に象徴される無構造な総動員運動のなかに吸収されていった。なかば神話的なナショナルな権力である近代天皇制が、『国体の本義』におけるようにそのままインターナショナルな理念の位置に移し置かれて、大衆の意識と知識人たちのあいだに円環をつくり、そこに近代化以降流入したさまざまな思想潮流を包括している。

　そこでなお回収されなかった逸脱的な契機が、海を隔てた別空間へ大陸浪人として流出したり、その別空間に蜃気楼のように投射された疑似ヨーロッパ的な理念のなかに自らの鏡像を見出すことで、帝国主義本国との円環をつくったりしている。原弘（ひろむ）、林達夫らの「東方会」に象徴されるモダニズムの粋のような組織が、参謀本部と付かず離れずの関係をたもっている。「満映」というイメージ・テクノロジーの最先端組織が、甘粕正彦のような人物によって運営されている。[*6] 日本本土の文学的感性が萩原朔太郎・小林秀雄・保田與重郎らにおいてあきらかにロマン主義的な色合いを持つのに対して、石原莞爾の人格そのものが《一種のモダニズム、特にダダ的感覚が備わっていたような印象を受ける。これはエキセントリシズムとして石原の性格に本来内在していたものかも知れないが、石原にはロマン主義の臭いを感じさせる部分は少なく、むしろダダイスト的に乾燥したユーモアを感じさせる要素が強い[*7]》。帝国主義時代以降の日本のモダニズムは、自らにふさわしい逸脱的な空間として満州を見出したのである。国民国家への帰属性をなかば脱却した世界性と、テクノロジーによって支えられた人工国家としての満州は、こうして文化現象としてのモダニズム、文学におけるモダニズム詩と同位にある、帝国主義日本が生み出したモダニズム国家としての刻印を受けることになった。

Ⅱ

血の日曜日

「戦後詩」という名称がどのようにして生まれたかについては、「戦争詩」という語の成立とあわせて、別のところですでに述べた。[*8] 「戦後詩」がその表現としての実質を獲得するのはどのようにしてか。戦争期の詩作において戦前期の「近代詩人」たちと「モダニズム詩人」たちとがともに被った挫折の上に、戦前において「近代詩人」が体現していた言語の質と「モダニズム詩人」が獲得していた言語の質とを合成した、あらたな詩的言語の様式を作りだすことによって、である。鮎川信夫、田村隆一、北村太郎ら「荒地」派の詩人たちにおいては、戦前のモダニズム詩の語法のうえに戦争体験をくぐりぬけた個的な論理を重ね合わせることによって。また関根弘、長谷川龍生ら「列島」派や谷川雁、黒田喜夫らにおいては、モダニズムの方法をアヴァンギャルドとして摑みなおし、左翼思想と合成することによって。

モダニズムが可能にした語の選択の恣意性と、近代詩がもつ個人としての思想性とが交差するところに、新しい詩の様式を成り立たせるという課題は、一九六〇年代の詩人たちによってさらに緊密な達成を見せる。この規定はごく一般的なものなので、当時のどの詩人についても――堀川正美、岡田隆彦、吉増剛造、北川透、清水昶らの誰についても言うことができるが、とりわけ鈴木志郎康、天沢退二郎において、ロゴス性を言語そのものの運動の物質性・肉体性によって異化するモチーフがきわだっていた(その先行者として吉岡実がいた)。

戦後詩の基底をささえるこの本質的に混淆的な言語の様式を、ここで天沢退二郎の「エテロトピー構造」という語に象徴させることができる。七〇年代以降登場した詩人たちにおいては、この肉体性が稀薄になるにつれて、語の選択の恣意性はそこにこめられた思想的内容に不釣合いな「高度」を与え、いっそう混淆的になった言葉の様式が、現在にいたるまで日本の現代詩をつらぬくことになる。

天沢退二郎の初期詩篇は異質な事物の並存、異結合によって特徴づけられる。一九六三年詩集『夜中から朝まで』に収められた詩篇において、それはさらに時間・空間を貫く異質さ、思考のさまざまな範疇やシンタクスを逸脱する異質さへと拡大される。ここにあげる詩「血の日曜日」は一九六一年に刊行された詩集『朝の道』に収められたもので、天沢的な異物の並存、異物結合という特性はまだ初発的な姿をとってひとつの都市風景を形づくっている。

広場で巨大な鶏の足がふるえはじめた

いくつもの小さな嵐が低い姿勢で街角を切り
露出されたガス・パイプが
動かぬ瞳孔に間歇的に砂を吹きつけながら
しだいに前にのめってきて
遂に空の劇しい青の中にあっけなく倒れおちた
砂をためて瞬かぬ瞳は透って石に嵌まり
そこが抜け穴となって時に大ぜいの人々が通った

あちこちで車軸が音をたてて廻った
ぼくも木製の輪を抱えて煉瓦路を急いだ
笛が鳴ると子どもたちがいっせいに馳せ抜け
コールタールがゆっくりと鼻血をぬらし
確信をもって剥ぎとられる果皮の下で
兵士たちは慌しい朝食を摂った
地下鉄の入口で鏡は曇ったまま廻っていた
ぼくが着いたときそこの熱いスタンドに
男たちは集ってピンの赤い方をこすっていた

そこらじゅうに車輪が置かれ
石壁からは透った灰が静かに降り
手から手へ金屑の徽章がまわされた
舗石があかあかんで輝きはじめていた
下水孔の蓋がじりじりと動いた
広場の方角からまっ黒い男が走ってきて
こっちの男たちはみな立上がり両手を突き出した
ぼくも車輪を抱え上げ遅れずに走った
右の路地から別の男たちが躍り出た
その角の建物の罅が急速にひろがり
黒ずんだ液体がたれて幾人かの足をとらえ
金屑がころがってすぐ踏み潰された
ぼくは懸命に走ったがなかなか広場に着かず
男たちの数はだんだん疎らになった
兵営の方で雷鳴がにぶく雲を砕いたが
振向かずぼくは低く青い太陽を横に見つめ続けた
いつかぼくは巨大な鶏の毟られた肌の上を走っていた

（天沢退二郎「血の日曜日」全編　詩集『朝の河』一九六一より）

言葉の様式は日本の戦前のモダニズム詩のものに似ている。この詩をヨーロッパ二〇世紀からの輸入物であった戦前の日本モダニズム詩の延長上で考えることは、空間的に言えば、この詩を日本列島と西欧（ユーラシア大陸ヨーロッパ半島西端）との間で考えることを意味している。そのときこの詩人が主として戦後を生きた日本人であることと、フランスの現代思想の影響を深く受けたフランス文学者であることがその傍証になっている。

エテロトピー構造

じじつこの詩人自身が、自らの詩作の解読をあるときフランスの現代思想のコンテクストに接続している。[*9] そこで参照されたのはミシェル・フーコーの『言葉と物』の「序」であり、《この書物の出生地はボルヘスのあるテクストのなかにある》と、そこでフーコーは述べている。ボルヘスのテクストは「シナのある百科事典」を引用しており（この部分の引用はすでに定着している新潮社訳に従う。天沢自身は先の論のなかで「中国の百科事典」と訳している）、フーコーはそれを指して、この事典記述はわれわれに奇妙な笑いを催させずにはおかない、と言う。事典記述はこんなふうになっている。《動物は次のごとく分けられる。（a）皇帝に属するもの、（b）香の匂いを放つもの、（c）飼いならされたもの、（d）乳呑み豚、（e）人魚、（f）お話に出てくるもの、（g）

放し飼いの犬、（h）この分類自体に含まれているもの、（i）気違いのように騒ぐもの、（j）算えきれぬもの、（k）駱駝の毛のごく細の毛筆で描かれたもの、（l）その他、（m）いましがた壺をこわしたもの、（n）とおくから蝿のように見えるもの》。[*10] フーコーは次のように書いている。

こうした動物たちは、列挙していく実体のない声のなか、それを書きうつすページのうえ以外の、どこであいまみえることができるのであろうか？ 言語（ランガージュ）という非在のなか以外の、どこに並置されることができるであろうか？（……）《混在郷（エテロトピー）》は不安をあたえずにはおかない。むろん、それがひそかに言語（ランガージュ）を掘りくずし、これ《と》あれを名づけることを妨げ、共通の名を砕き、もしくはもつれさせ、あらかじめ「統辞法」を崩壊させてしまうからだ。

当時まだ翻訳もなかったフーコーのこの序文を原文で読んで、詩人は自らの詩作を想起する。連想された自らの作品は「死刑執行官――布告および執行前一時間のモノローグ」である。それは《旅にうごめく子どもたちを裏がえす者は死刑／回転する銃身の希薄なソースを吐き戻す者は死刑／海でめざめる者は死刑／胃から下を失って黒い坂をすべるもの死刑／いきなり鼻血出して突き刺さる者は死刑……》と始まり《死刑にならぬというものら／死刑を行うものら／死刑を知らぬものら／を除くすべてのもの死刑》に終わる。詩人はここに並置される語の異質性・逸脱性、とりわけ最後の四行における論理的カテゴリーの破壊と、『シナの百科事典』を前にしたフーコーの笑いと驚きとのあいだにある《暗合》を見出し、次のような予感を語っている。《私たちの詩はひろい意味で人間の全体性を回復もしくは獲得しようとする点であきらかにユトピーへの志向をもちながら、奇怪にもこの志向は回復もしくは獲得への志向自体のなかにしか現前しえないそのあり方の推移のうちにエテロトピー構造を露呈しつつあるということができる》。

さきにあげた「血の日曜日」では、この特性はまだ叙述的な文脈のなかに埋め込まれている。そこにはひとつの「情景」が展開されている。——兵士たちが慌しく朝食をとっている。男たちや別の男たちが出没し、追跡や逃亡を繰り返している。子供たちが逃げまどう煉瓦道のうえにはコールタールや鼻血が流れ、金屑が転がり、車軸音を立てて回転し、やがて男たちの数はまばらになり、兵営のほうからは雷鳴のような音が空に向って響いている。そしてこれらすべての光景が、第一行目の、広場でふるえはじめる《巨大な鶏の足》と最終行の《巨大な鶏の毟られた肌》とのあいだに挟まれている。

Ⅲ

一九五〇、六〇年代日本都市

詩と状況の認識に「エテロトピー構造」という語をあてることに対しては、直ちにつぎのような批判が返されることになる。北川透は『夜中から朝まで』の詩篇を細かく分析しながら、言葉の運動は一見形式的な異結合に見えるが、詩的言語の歴史的累積、すなわち《伝統や文化の連続的契機》とそれに対する詩人の表出の位相、つまり現前する言語の歴史的累積に向き合うときの対自的な意識や逸脱や飛躍の契機から測られるべきだと述べている。この契機は詩の言語が、この詩が書かれた「現在」である一九五〇、六〇年代の都市的な心情の論理や日常の論理を抱え込みながら、そのなかに収束するのではなく、むしろ心情や日常の根源にあるものにむかって、あらたな局面を開いている、というのである。《天沢は「ソドム」や「反細胞」で突出させた恐怖の言語の中に、この底なしの沼のような日常性をしこたまかかえこもうとしており、そのことによって、ことばが対自的な構造において軋むだけでなく、それは、日常的な生活意識の方からも攻撃されて、激しい緊張を生むのである》[*11]。

詩的言語の歴史的な累積とそれからの逸脱や組み換えによって表現の本質を語るのは、T・

S・エリオット以来の西欧モダニズムの前提であった。ここでは天沢の詩における言葉の動きが、シンタクスそのものを破壊して西欧的な思考の彼方へ出てゆくのか、むしろ逆に言語の歴史的累積そのものを拘束しているわれわれの日常や制度の根源に向かって底板を踏みやぶるものとなるのかが議論されている。この議論は同時に、戦前の日本モダニズムの詩的言語を、われわれの「戦後詩」のなかで、どのように超え出てゆくかをめぐっている。だが天沢においてシンタクス破壊の「先」にあるものが無規定であるのと同様に、北川が「日常性の根源」と名指すものも無規定なままだ。そのかぎりでこれらの議論も日本モダニズムをめぐる議論の運動領域――すなわちヨーロッパ半島西端と日本列島との間にひろがる運動域を離れることはない。日本近代がその理念のなかで好んで行き来したこの往復路を超え出ようとして外部を求めるが、それは無規定なままである。なぜそうなってしまうかと言えば、ここで「エテロトピー」という語を、(当時フランス現代思想がヨーロッパ半島の西端で提起した(そしてそれ自体そうとうに「オリエンタリズム的」な)、あたらしい語として受け止めているからである。この受け止め方は「戦後日本」――すなわち日本があらためてこの列島という空間を意味することになって以降――の日本列島内部からのものであり、それは近代日本が理念の現実運動のなかでこの地理的空間を離脱して、ヨーロッパ半島西端へと移動しようとしていた脱亜入欧の時期を、戦後詩の言語の中で反復している。

大陸難民

ところで、日本モダニズムの歴史のなかには西脇順三郎・北園克衛・村野四郎ら「詩と詩論」系の詩人たち――ヨーロッパの詩理念を支えにして日本語で書いた詩人たちのほかに、北川冬彦・安西冬衛ら「亜」の詩人たち――自らの生活空間そのものが「外地」にあるために詩の形式としてモダニズムを選択した詩人たちの系列が存在する。この系列の詩意識は、必ずしも作者が外地にいなくても、戦中期の「新領土」の楠田一郎や鮎川信夫に引き継がれている。天沢のこの詩をここで、自らの少年期を遡行的に反復した詩として考える場合はどうか。この詩の作者は少年期、この日本列島にいたのではなく、ユーラシア大陸東端の都市（長春、当時の名で新京）にいた。視界はここでとつぜん戦後日本の遠近法、日本列島の遠近法の彼方へ移される。詩人自身の、その当時を遡行的に反復している散文を引いてみる。

実際の戦火はまだ遠い感じでも、ガダルカナルから神風特攻隊の記事へと、緊迫感がはりつめてくるのがわかる。防空演習。先生に引率されて寛城子まで、ヒマ畑の草取り。学校の裏山には防空壕が掘られ、その上をポプラや楊の枝で掩護する。乾いてゆく枝や葉の特有なにおい。（……）五月、父出征。六月であったか七月であったか、もと住んでいた第六官舎に近い満映で建大の留守家族慰労映画会あり、もう入手の難しかった菓子などもらって帰る。八月十日ソ連軍いっせいに南下。母は連日徹夜で私たち兄妹の旅行用衣類をつくった。十二日の早朝、初空襲。建大留守家族の一行、朝から旅支度で駅前に集合したが、なかなか出発にならない。母が家まで敷物を取りに戻った隙にみんな移動開始。半泣きで妹たちをつれて家へかけもどると母がちょうど出てくるところだった。それでも間にあって、荷物もろとも無蓋貨車に身動きもならずつめこまれて、赤い夕陽の大平原を南へ向う。夜、山岳地帯に入り、トンネルまたトンネル。煙にむせないために濡れタオルで鼻と口をおさえて息をこらしていなければならない。闇の中に高々と吼えていた本渓湖の溶鉱炉の炎。それは翌十三日の夜。十四日、汽車は鴨緑江を渡って新義州、次は宣川。ここで下車、三ケ月を過ごす。収容されたのは最初南教会。そこで敗戦を知らされた。次々と継起する非日常的な驚異の連鎖の、ごく当然なひとこまでしかない。昭和小学校校舎、明倫小学校校舎。いつも空腹で、食あるときはガツガツ詰めこみ、胃拡張で苦痛に泣く。笑えない悲劇。十月に入って下の妹が腹膜炎を起し、母子四人家族ぐるみ美東病院へ入院。別棟になった病棟から私も本館へ毎日、美しい朝鮮の少女（もちろん看護婦）にビタミン注射をしてもらいに通った。*[12]

当時の満州国の首都新京での少年体験と、当時九歳か十歳だった少年の記憶の中の引き揚げ体験の、おそらくは意図的に疎隔化された――《次々と継起する非日常的な驚異の連鎖の、ごく当然なひとこまでしかない》――記述である。三木卓や池田満寿夫の大陸での経験を記した作品があり、引き揚げにかかわる悲劇を物語的に読もうとすれば、よく知られているなかにし礼『赤い月』や、五木寛之の記述をはじめ、無数の体験記・小説を見つけることが出来るだろう。これらはおおく当時の少年の世代によって語られているが、いうまでもなく当時の悲惨をもっとも切実に語れるのは彼らの親たちの世代であろう。とりわけ、ここに挙げられている宣川での収容生活がどのようなものであったかは、藤原てい『流れる星は生きている』[*13]に、親の世代からのリアリティが生々しく語られているとおりだ。旧日本占領地からの引き揚げ者はおよそ七百万人であり、過酷な移送、ソ連軍の攻撃・虐待、劣悪な収容、さらに成人男子の拉致、ソ連軍による強制労働によって、その何割かは生還しなかった。大戦中アジア世界に膨大な死者・瀕死者の山をつくりだしたわれわれは、同時に敗戦期にはわれわれ自身がもっとも悲惨な難民の一群であり、この詩人もまたその膨大な難民たちの一人であった。

ユーラシア大陸内部

するとと問題はこうではないだろうか。この詩人は自らの詩法を「エテロトピー」の名で呼び、それをフランスの思想家ミシェル・フーコーの文脈におく。そのことの意味をわれわれは、フランス現代思想を参照しつつ解読することを好むだろう。だがここでほんらい選ばれるべきなのは別のコンテクスト、つまりフーコーがここで引用したボルヘスのテクストが「中国の」百科事典であった、ということの方なのではないだろうか。われわれはここで日本列島とヨーロッパ半島西端の間を往復すべきではない。参照されるべき空間は、ほんとうは中国大陸の奥深くと日本列島との間にあるのだ。フーコーはこう書いている。

> それについて思考するのを妨げる、あの分類のゆがみ、整合的な空間をもたぬ、あの表（タブロー）、そのようなものの神話的祖国としてボルヘスが示すのは、その名だけでも西欧ではおおくの非在郷（ユートピー）を埋蔵しているかにひびく、特定の地域である。シナ。われわれの夢のなかのシナは、まさしく《空間》の特権的《場所》ではなかろうか？（……）だからボルヘスによって引用されたシナの百科事典とそれが提出する分類法は、空間のない思考、宿るところをもたぬ語と範疇に導くとはいえ、それらは、結局のところ、複雑な形象、錯綜した道、奇妙な風景、秘密の通路、予見しえぬ連絡などがありあまるほどつめこまれている、厳粛な空間にもとづくのにほかならない。してみれば、われわれの住む地球の裏側には、延長による秩序づけに完全に捧げられた、しかも、われわれにとって名づけ話し思考することが可能となるようないかなる空間にも諸存在の増殖を配分しない、そのようなひとつの文化があるのにちがいない。

分節することも秩序づけることも計量することも占有することもできない「別の空間」が、中国大陸の奥深くに広がっている。日本列島の定着民とヨーロッパ半島西端の定着民とのあいだで考えるとき、世界の両端の定住民のあいだで共通の空間が支配する。そこでは空間は分節され秩序づけられ計量され占有されている。だがユーラシア大陸の内部にひろがっているのは、それとは「別の空間」である。空間を占有することで生きてきた人々を支配する計量空間ではない「別の空間」――後で見るようにドゥルーズ＝ガタリはこの空間を、計量空間と対置して《平滑空間》と呼び、それを明確にユーラシア大陸内部、中央アジアに地理的に関係づけている。

北川透が指摘したように、天沢退二郎の初期詩篇が繰り返し描き出す異物並存的な異結合的な都市風景は一九五〇年代が六〇年代に移行する時期の、敗戦期から高度成長期に移行する時期の都市的な日常の根源における変容を露出させている。だがそこには同時に、この詩人が少年期に現実に体験したエテロトピー、中国大陸がその内奥から溢れ出てきて、その東端にとりついた日本帝国主義とそのモダニズムと混淆することによって出現した、現実の混在郷が重ねあわされている。「血の日曜日」はいくつもの語によってそのことを暗示するが（《煉瓦路》《広場の方角からまっ黒い男が走ってきて／こっちの男たちはみな立上がり両手を突き出した》《男たちの数はだんだん疎らになった》《巨大な鶏の毟られた肌》……）、それ以上に作品空間の湾曲・屈折、多次元性などによって、混淆する空間そのものになっており、その空間が、ソ連軍の侵入によって一層ねじれ引き裂かれた異空間に変容している。したがって作品「血の日曜日」のなかに沈み込んでいる日付を、ここでわれわれは特定することができる――それは日本降伏寸前にソ満国境を越えたソ連軍が、新京に到達した日、一九四五年八月一二日の日曜日である。

それが同時に、一九五〇年代から六〇年代にかけての都市のものであり、北川の述べる《対自的な構造において軋むだけでなく、それは、日常的な生活意識の方からも攻撃される》現在の都市空間と二重露光されている。一九五〇年代から六〇年代に向かって急速に形を現しつつあった「戦後日本」、とりわけその都市の景観のなかには、七百万人の生者や死者である難民たちが、悲惨な引き揚げとともに持ち帰ってきた中国大陸の現実と、その内奥から滲出してきた「別の空間」があきらかに「混在」していた。

Ⅳ

二〇〇八年北京オリンピック

ふだんテレビも新聞もない生活をしている私は、その新聞（「朝日新聞」二〇〇八年八月九日朝刊）を偶然に手に取ったのだが、その紙面は前日の夜おこなわれた北京オリンピック開会式の模様を一面のトップで伝えている。一面や一八面に載せられているのは日本選手団の入場の様子であり、『赤いコーリャン』以来、映像における全体美学の第一人者であるチャン・イーモウ演出によるこの開会式の図像は二面、一九面、三五面に、どちらかというと控えめに掲載されている。一面下段の「天声人語」は、この開会式が「空前の厳戒のもとで」開かれ「警察と軍で約一四〇万人。市民有志も加わって、歓迎ムードの後ろから数百万の目が光る」。「その空をミサイルがにらむ図は九・一一テロ後の世界そのものだ」と述べている。

中国政府によって敷かれた北京の厳戒態勢によって隠されているものは、表立ってではないが同紙三四面に、在日チベット人の新宿での集会の模様に象徴的に示されている。そこに紹介されている参加者の言葉は「華やかな五輪の裏でチベット人の苦しみが五十年以上も続いている。平和の訪れを祈りたい」であり、「中国はチベット問題は話し合いも自由もなく、ひたすら暴力で解決しようとする姿勢だった。平和への願いをこめたキャンドルこそ、五輪の聖火だという思いを込めた」である。三五面には北京への四川省からの出稼ぎ男性の声が紹介されている。「八畳一間が約二十戸連なるプレハブに家族四人で暮らす。テレビもない。宿舎の周りは五輪を祝う標語や絵が描かれた青いシートで覆われ、外と遮断されている」。「五輪を見たいとは思わないよ」と彼は言う、と。

北京オリンピック開会式を報じる同紙第一面の左端には「ロシアがグルジア爆撃」「南オセチア侵攻に報復」という記事が掲載されている。ここに付された解説によれば「グルジアは一九世紀にロシア帝国に併合され、九一年にソ連から独立を宣言。九〇年にロシア編入を主張する南オセチア自治州、九二年には主権宣言したアブハジア自治共和国と紛争に。現在は南オセチア、アブハジアともにロシア部隊が駐留し、事実上の占領状態にある」。この戦闘に関する記事は九面にもあり、すでにグルジア軍とオセチア軍とのあいだには八月はじめから散発的な戦闘状態がはじまっていたが、大規模な戦闘がはじまったのは八日からであること、今回のグルジア軍によるオセチア侵攻により南オセチア州の州都ツヒンバリは壊滅状態にあり、ロシア軍が国境を越えてこの戦闘に介入したことを報じている。「ロシアはグルジアの北大西洋条約機構（ＮＡＴＯ）加盟の動きに神経をとがらせており、南オセチア問題は譲れない一線となっている」。

南オセチア紛争

同紙の構成はさらに次のように続く。南オセチア紛争を報道する同じ九面左端には、「ロマ人包囲　強める仏伊」と題された五段抜きの記事が掲げられ、その大見出しのもとに「唾液も採取」「刑期も差別」「批判が続出」という小見出しが配置されている。「『ジプシー』『ボヘミアン』などと呼ばれて差別の対象となってきたロマ人らを追い出す動きが、フランスやイタリアで強まっている。両国政権は、増える移民に不安感や不快感を抱く世論を意識し、厳しい移民対策でアピールを狙う。ロマ人が格好の『標的』になっている」。フランスではロマ人たちの集中する居住区に対して退去通告が出され、ルーマニアなどへの送還がすすめられるとともに、残留を希望するものには個人情報のデータ収集とともに唾液の採取などが科せられるようになった。イタリアでも同様の動きが見られる。ロマ人男性による犯罪事件をきっかけに移民排除の世論が高まり、これに押されて中道右派政権が誕生、ロマ人流入の加速が、ルーマニアのＥＵ加入によるものだとして、ＥＵ加盟国民であっても「治安に深刻な脅威をもたらす」と判断されれば国外退去処分を可能にする法案作りがすすめられている、と。

「北京オリンピック開会式」「チベット・ウイグル問題」「グルジア・ロシア戦争」「仏伊におけ

る「ロマ人排除」——これらは、すべて二〇〇八年八月九日づけ朝日新聞朝刊に並列されていることがらである。このうち「北京オリンピック」と「チベット・ウイグル問題」は、それらが表裏の関係にあることが人々によって意識されている。社会主義理念の崩壊後「愛国主義」に転じた中国共産党が、この十年近くとっている「国民一体化」路線の上に北京オリンピックがあり、この一体化政策がチベット人、ウイグル人への排除と抑圧を強め、その強い反発を呼び起こし、このことが国際社会に公開されてしまった、という文脈はあきらかだからだ。だが他の二つの事件、ロシア軍のグルジア侵攻、仏伊におけるロマ人の排除が、それと「同じ問題」の一端であると考える筋道はどこにあるのか。

チベット・ウイグル

これらの事件はいずれも、この論が後に《ユーラシア大陸内陸部を東西に横断している多数の遊牧民族・狩猟民族の地域》と呼ぶことになるもの、《イスラム圏の北縁を通り、東に向かってウイグル、モンゴル、チベットから満州（中国東北部）を経て、日本海還流空間（サハリン、シベリア東端、朝鮮半島、日本列島）にいたる広大な移動民族地域》と呼ぶことになるものが、ひとつのまとまりのある空間として、われわれの視野の中に登場しつつあることを示している。現在、ネット上で google earth や yahoo 地図を開けば、国内だけでなく世界全体のあらゆる地点の航空写真映像を見ることができる。われわれはいながらにしてチベットの首都ラサの地上一〇〇〇メートルほどの俯瞰図を得ることができる。ウイグルの首都ウルムチについても同様である。その俯瞰視線を下げてゆくと高度五〇〇メートルほどで打ち止めになる。これはほんらい軍事目的で開発された技術だから、偵察衛星はじっさいにはそれ以上の精度と密着度で映像を得ているに違いないが、それはわれわれには隠されている。この一般的で微細な世界視線の登場は何を意味するのか。

チベットはこのノーマンズランドの核心部分である。流布されたイメージによれば、それは乾燥保存された「古代」であり、ダライ・ラマを中心とするチベット仏教による宗教国家が、多くの寺院と、それを支える地主たちによって支えられ、そのもとには多くの寡黙な農奴たちがいる。政治と社会との関係は西欧的な段階論から見れば、アジア的農業共同体以前的な特性を持っていて、その共同体の「存在」は、空間的な延長とは直接関係のない時間的な次元のなかにあるように見える。だが同時に、空間としてのチベットは、その版図においても諸国家との関係においても歴史的に限りなく変容し錯綜した共同体であり、ダライ・ラマという名そのものが一六世紀モンゴルの支配者であったアルタイ・ハーンから贈られたモンゴル語の称号である。[*14] 一九五六年のチベット動乱と亡命政府の樹立以来、中国政府は着実に同化政策を推し進めてきたが、ソ連崩壊によって社会主義の理念が世界に通用しなくなると、中国共産党はその党理念を社会主義建設からナショナリズム（愛国主義）に転回させ、同化策はいっそう加速されることになる。[*15] 現在のチベット問題は、帝国主義時代イギリス、ロシア、中国、アメリカの干渉をかろうじてかいくぐってきたこの古代的宗教共同体が、中国共産党による専制に対してどのような抵抗と馴化をしめすか、という点にある。

新疆ウイグル自治区とは、ウイグル人、キルギス人、カザフ人、モンゴル人など多くの遊牧民系の少数民族が住む地域である。相対的多数であるウイグル人はオアシス都市に流動していたイスラム系の人々で、この地域に八、九世紀遊牧ウイグル帝国、その後に天山ウイグル王国が存在していたことにちなんで、二〇世紀になって自らをウイグル人と名乗るようになった。もともとは空間的な占有も自らの民族を名指す名前さえも持たなかった。

グルジアはキリスト教ローマとイスラム教圏との境界に位置しており、それらに交互に支配されたり分割されたりしてきた。やがてビザンツ帝国の一部となり、八、九世紀イコノクラスム（聖像破壊）を体験している。一三、一四世紀には東方からタタール人、ティムール人の侵攻を受け、それからの守護を求めるためにロシアに接近し、一八世紀末から一九世紀はじめにロシア帝国に併合された。一九一八年一時期独立を宣言するが、まもなくソ連邦に加わっている。つねに南下の機会をうかがっているロシア、ソ連にとって、そのための根拠地となる貴重な不凍港をもつ黒海への出口となっている。

ロマ人は中央アジア、北アフリカ、ヨーロッパに分布する流浪の民である。その過程でエジプト人（エジプシアン）を語源とする「ジプシー」の呼称が生じ、多くの場合蔑称として使用された。北インド出自といわれるがほんとうのことはわからない。近代ヨーロッパでは非定住の少数民族として、ユダヤ人とともに差別・排除の対象とされるが、ユダヤ人ほどの強力な結束力を持たないので、書かれる歴史の中では「捨象可能」な存在とみなされ、第二次世界大戦中もナチスによる絶滅政策の対象となった。第二次大戦後ヨーロッパでは、しばしばロマ人の定住政策・同化政策が試みられ、ロマを国内少数民族として認定する場合もあったが、ロマ人たち自身が定住を求めず、政治的な無権利状態、経済的な困窮化がいっそう進んでいる。

ノーマンズランド

この巨大なノーマンズランドからの視線にとって、北京とは何か。それはチベット高原よりもはるかに海抜高度の低いモンゴル高原を通過する通路が肥沃な中国の農業地帯に到達する地点である。一つはチベット東北の縁を迂回して甘粛（カンスー）を経て西安に出るルート、もう一つがバイカル湖から南東に転じて北京へいたる経路が、北京で合流している。後者は匈奴などの遊牧民が侵入をくりかえしたルートであり、その到達点である北京はやがてモンゴルから南下した遼・元朝のもとで主要都市として発展した。のち明代に南京から遷都されて首都となり、以後満州族が支配した清時代を経て、辛亥革命以後も漢民族支配下の中華民国から中華人民共和国にいたる多くの時期の首都である。二〇〇八年北京とは、チベット人・ウイグル人たちにかわって、漢民族によって扮装された「複数民族」を登場させたオリンピック開会式のなかで虚構化された国民国家の首都に変わっている。

西欧中心の歴史認識・世界情勢の重要度が加重されたこれまでの「世界」地図の遠近法のなかでは、ある特定のラインだけがわれわれの意識の目に「見えていた」。ユーラシア大陸に限定して言えば、西欧には戦闘しあう国家たちがあり、その西欧を取り囲む異物としてのオリエントやイスラム圏が（そしてそこを交差点としてヨーロッパに異動してくるユダヤ人の道筋が）、西欧列強の進出路の先に広がるあらたな市場としてのインドや東南アジアや中国が、そしてその末端でアジア的交通の混淆点であり西欧のレプリカ的な中心として西欧のゲームに参加してきた日本が「見えていた」。同じく西欧から逆周りに荒廃した土地から近代を追走してくるドイツやロシアとその争奪戦の戦場である中欧・東欧が「見えていた」。その他の部分はいわば余白であり間隙であり中間部分であるに過ぎなかった。だが現実にはそこで、可視的な地域でおこなわれたなら人々を震撼させずにはおかないような、いくつもの大規模な大量虐殺や強制労働や無数の大規模な核爆発実験がおこなわれてきた。

それらは余白であり間隙であり、言い換えるとわれわれの視野の外でおこなわれたことがらであるから、われわれには「見えない」。だがいまや「見えなかった」はずの中間地帯、間隙が、「見えていた」地域と同じ精度と同じ侵入角をもって、コンピュータ上の画像として「見えるようになった」。なかったはずの巨大な空間が「あらわれてきた」。それはこの巨大なノーマンズランドをわれわれにとって可視的にしただけではなく、同時にわれわれにこのノーマンズランドからの視線を可能にする。この視線は、現在までそこにじっさいに生きていた人々、非定住性・移動性によってそもそも空間的な占有に関心を持たず、そのためにわれわれの世界遠近法のなかでもほとんど存在を認知されていなかった人々にとってだけ可能だった視線である。西欧中心の遠近法の中では不可視であった巨大空間が、そこに住む最後の不可視の民族・種族とともに、われわれのテクノロジーが可能にした高度な世界視線によってわれわれの可視圏に入ってきた。

V

内攻帝国主義

「世界」が、現在のような互いに利害関係を持ったグローバルな広がりとして表象されるようになったのは世界資本主義の拡大、いいかえると帝国主義によってである。資本主義は剰余価値と資本の再投下によってたえまない市場拡大を宿命としているが、西欧に成立しつつあった国民国家は、はじめのうち国内に市場拡大のために格好な均質空間を提供していた。しかし独占の段階を超えて、国境が桎梏だと感じられるようになると、この拡大運動はあらたな空間を国外に求めるようになる。国民にとって国家は至上物であるが、資本の自己運動にとってはそうではない。資本の自己運動が国境を越えると、国民国家はむしろ後ろ盾としてそれに従いてゆく。「世界」はこのとき、すべての人々にとって現実の利害関係をともなった、国家を超えたインターナショナルな空間として登場する。「世界」へと不可避的に拡大する資本のこの運動を洞察したレーニンは、その動態をイギリス・フランス・ドイツなど西欧先進国にアメリカ合衆国とロシア（ただしツァーリズムの検閲を警戒してロシアへの言及は最小限に抑えられているが）さらに日本をくわえた五大先進国の海外植民地の領有面積を指標にして論じている。

レーニンは帝国主義を、帝国主義の実態はここに描かれるような「表向き」の空間的な拡大を指標にして語っている。だが、帝国主義を、国家の国境を越えたインターナショナルな空間拡大だけを本質としているわけではない。それは別の「内的な次元」を持っている。ハナ・アーレントは、レーニンが描き出したような「表向き」帝国主義の、国外への空間拡大をさして「海外帝国主義」と名づける。[*16] そのかぎりではもともと海洋国家として多くの海外領土を持っていたイギリス・フランスは他国にはるかに先行しており、ドイツ・ロシアの二国はこれにおおきく遅れをとっている。しかしこの後進二国における帝国主義の展開は、その後進的な海外領土獲得に本質があるのではない。その二国の帝国主義の本質は、むしろヨーロッパ大陸内における内攻的な侵入・浸出のうちにある。ドイツ・ロシアの「裏がえし」の帝国主義は、ヨーロッパ大陸内において、個々の国家を揺るがし、国境をこえてその内部に侵入し、ついに国境を侵犯し、その内部空間を奪取する、という過程をたどる。アーレントはこの型の帝国主義をさして「大陸帝国主義」と名づける。

種族概念

帝国主義はあからさまな市場争奪戦の戦場として、国家を超えた「世界」を、人々のだれにとっても利害関係のあるインターナショナルな空間として、視野の中に登場させる。このあらたな空間を分節するためには、それ自体インターナショナルであるような別の原理が必要となる。二つのイデオロギーがその分節を担うことになった。一つはダーウィニズムを下図としてゴビノーらによって描き出された人種主義であり、もう一つはマルクスによって、国家貫通的な原理として提起された階級イデオロギーである。前者は、国家の色分けによってではなく、人種によって「世界」を分節する。後者は、現在は国家の枠内に収納されている階級対立を、それから外へ投げ出されているプロレタリアートのインターナショナルな連帯によって全世界的な階級対立関係へと組み替える。思想的な普遍性において、後者が相対的に勝っているとはいえ、現実の政治力学の中でそれが勝利したのはわずかな場面だけである。帝国主義の具体的なプロセスの中で圧倒的に力をふるったのは前者の人種イデオロギーのほうだった。

海外帝国主義のなかではダーウィニズムのヒトへの応用としての、あからさまな生物学的・身体的な人種概念が活用された。だが大陸帝国主義においては少し違っている。そこでは人種主義は、伝統的な風俗習慣の共同性である「民族」概念と綯い合わされた「種族」概念となって、とりわけ民族の坩堝である中欧・東欧で決定的な力をふるった。西欧では近代国民国家を支えうるような一定の民族的な均質性が大きな空間を覆っていたが、中欧・東欧にはもともと一定の空間的な広がりをもつ民族的領域など存在しなかった。ここで諸民族・諸種族は微細なかたまりになって散在している。ハプスブルク帝国のような超越的なレベルが君臨してそれらをゆるやかに統合しているうちは、そこに多層的な複合体が成り立っているが、帝国が崩壊すると、微細な諸民族集団が、西欧モデルに倣ってそれぞれに国民国家になろうとして、諸民族・諸種族の大混乱が生じる。それを整理できるのはもはや国家ではなく、「より大きな種族（ナチスの用語で「フェルキッシュ」と呼ばれる）概念」だけである。ハプスブルク帝国が崩壊期に入ってから後の、大陸帝国主義時代の中欧・東欧は「汎ゲルマン主義」と「汎スラブ主義」との戦場となる。さらにその双方が、内部に重層的に小民族同士の無数の抗争を抱えている。

中欧・東欧の問題

現在のわれわれからみると、ここでの汎ゲルマン主義がナチスドイツに集約され、汎スラブ主義がスターリンのソビエト連邦に集約され、第二次世界大戦の国家対国家の戦闘の登場人物としてそれぞれの運命をたどったことになっている。後者は英米仏の西欧国民国家の勝利の尻馬に乗って勝者の側にくわわり、前者は日本などとともに敗者の側に入れられただけでなく、その戦時下の実態によって倫理的にも底知れぬ悪の深淵のなかに叩き込まれることになった。だがいまわれわれが問題にしたいのはそのことではない。ナチスドイツの敗北と崩壊、それから半世紀後のソ連邦崩壊のあとに、ふたたび露出してきたものは何か。大戦間ハプスブルク帝国崩壊後の中欧・東欧と同様の民族・種族の混沌を、ヨーロッパはEU共同体という統合形式の中に収納しようとしているが、この共同体はなによりもヨーロッパをひとつの経済的・政治的・文化的単位として国際社会の中で自己主張すべく「国家」共同体としての形をとっているために、中欧・東欧を支配する民族的・種族的混沌に対してうまく応答することができない。このことはEU統合がその領域を東へ向かって拡大してゆくにしたがっていっそう困難な問題に遭遇することになる。中欧や、ソ連邦によって曲がりなりにも国家としての型に鋳造されてきた東欧はまだいいとしても、ユーゴスラビア崩壊後の諸民族混淆地帯や、旧ソ連邦崩壊後のバルト三国や、ウクライナ、ベラルーシ、グルジアなどはどうなのか。

西欧諸国において民族は、その上に国家機構をいただくことができるほどの、おおきな空間的広がりと均質性を持つ国民を形づくっている。だが中欧・東欧では民族は混在・散在しており、ねじれあい・入りくみあっている。それが一定の大きさを持った空間的な占有を主張しようとすれば、かならずそのなかに異民族を抑圧的に抱え込む抑圧国家になるか、同民族同士を引裂く悲劇的な分裂国家になるしかない。ここで抗争は絶えないが、抗争は純粋に民族間で起こっているのでもなければ、純粋に国家間で起こっているのでもない。それは民族原理と国家原理との「間で」起こっているのである。中欧・東欧では空間原理は半分しか有効性をもたない。民族・種族の決して空間化されない歴史の次元が、空間所有をめぐってせめぎあっている。結果として人々は、半分は市民社会の空間性の中に、残りの半分は決して空間化されない民族・部族の歴史性の中に生きることを強いられるのである。

移動民族地帯

そしてここに次の問題――「東欧・以東」「ロシア・以東」とはなにかという問いが加わる。世界地図の上から見るとそこには比較的大きな均質空間がひろがっているように見える。散在する国々は、俯瞰視線が可能にする視野から言えば国民国家化が不可能ではないほどの空間的な量を所有しているように見える。だがそれにもかかわらずここでは国民国家と政治制度と市民社会の形成はつねに不十分・不安定・流動的であり、住民たちを突き動かしているのは占有されるべき空間の量であるよりもはるかに、民族・種族の内向する時間性である。これらの住民たちにとって空間的占有は、西欧の国民たちにとってのような意味を決して持ち得ない。なぜそういうことになるのか。

現在のウクライナ、ベラルーシの基礎となっているのはスキタイ人、サルマティア人などの遊牧民であり、フン族やアヴァール人などの東方からの侵入に圧迫されてスラブ人に服した地域である。ウクライナはその後コサックの国となるが、ポーランドとロシアとの勢力抗争をへて一八世紀末にロシアに併合された。ベラルーシはバルト海・黒海間の通商路沿いの諸部族が離合集散を繰り返した後でポーランド＝リトアニアの領土となり、一八世紀末ロシア帝国に併合された。グルジアは一一世紀にアラブ支配から脱して統一王国となった以外はビザンツ帝国の属国であり、タタール、ティムール等の侵攻を受けた後、オスマン帝国、ペルシャ、ロシアの支配を経てソ連邦に編入された。総体として彼らの移動地域は、ユーラシア大陸内陸部を東西に横断している多数の遊牧民族・狩猟民族の西端をなしている。

この広大な移動民族地帯はイスラム圏の北縁を通り、東に向かってウイグル、モンゴル、チベットから満州（中国東北部）を経て、日本海還流空間（サハリン、シベリア東端、朝鮮半島、日本列島）にいたっている。「東欧・以東」「ロシア以東」に広がるのは、帝国主義以降の西欧からすれば何者かによって占有されるべきであるのに、いまだだれによって占有されるかが確定していないような空間であるように見えている。だがほんとうを言えば、それらはもともと空間的に占有されえない空間、本質的な交通空間であり、空間がそのまま時間へ、歴史性へと折れ曲がっているような空間なのだ。われわれのグローバルな「世界」像は帝国主義時代以降の西欧の遠近法に従っているため、どうしてもこの空間のもつ特殊な意味をうまく言い当てることができない。

VI

平滑空間

ドゥルーズ＝ガタリはジョルジュ・デュメジルの国家像に対して、自らの戦争機械をつぎのように対置してみせる。デュメジルはインド・ヨーロッパ神話の分析を通して政治的主権は二つの頭――〈王―魔術師〉と〈司祭―法学者〉を持つことを明らかにした。だが

戦争機械は国家装置の外部にあると主張するだけでは不十分である。戦争機械を純粋な外部性の形式として思考しうるのでなければならない。それに対して、国家装置は内部性の形式を構成し、われわれは習慣的にこの形式をモデルにしている。（……）国家自身は戦争機械を所有していない。国家は戦争機械をただ軍事制度の形態でのみ自分のものにするのであるが、軍事制度化されたとしても、戦争機械はやはり国家の頭痛の種であることをやめないのである。*17（傍点原文）

なぜなら国家装置の原理は条理空間（計量的空間）に属しているのに対して、戦争機械は《平

滑空間（トポロジー空間）》に属しているからである。一般的に「装置」は《空間を占めるために数を集める》。だが「機械」は《数えることなく空間を占める》。平滑空間はなによりもまず海であろう。戦争機械は海洋国家の軍事制度となるはるか以前に、領土も持たず帰属も持たない海賊や水軍である。平滑空間はまた、海であるとともに大草原でもありうる。《戦争機械は遊牧民の発明である（それが国家装置の外部にあり軍事制度と区別されるかぎりにおいて）》。それはまた定住に対する非定住の感覚であり、内部性の思考がつねに《真理の帝国》や《精神の共和国》を形作るのに対して、《自分自身の国語のなかで異邦人になる》ような、帰属を持たない《外の思考》をもたらす。

思考は国家をモデルとするとき内部性の形式をとる。近代の思考はそのベースを国民国家の理念によって支えられていて、さまざまな《真理の帝国》や《精神の共和国》を形作ってきた。そのなかにときおりこの内部性を切り裂くような切片的な思考、非領土的な「外の思考」が横切ることがある。ドゥルーズ＝ガタリは前者の例としてゲーテとヘーゲルを、後者の例としてクライストをあげる。

ドゥルーズ＝ガタリは領土化された国家装置に対して、非領土的な戦争機械を純粋な遊牧性の形で取り出そうとしている。たしかに純粋な遊牧性、純粋な戦争機械はアジア的な定住段階に先行する前アジア的・前定住的な歴史段階では、中央アジアの放牧民・狩猟民族として現存したし、そこでは思考も感性もそのような流体として存在したにちがいない。ユーラシア大陸におけるその東北端はタタール・ツングース・満州族の遊牧性・騎馬民族性としてあらわれ、東南端では道教の流体的な思考（タオイズム）となってあらわれている。だがおそらく現在の戦争機械にこのモデルを適用することはできない。

ドゥルーズ＝ガタリは現在の戦争機械を、たとえば国家への帰属性を持たない多国籍企業や国家内で遊動する切片的な運動体のなかに見出そうとしている。だがそれらはたしかに外部性を主要なモメントとしてはいても、同時にその背後に不断に内部的な帰属性を持たざるを得ない。純粋な外部的な運動体も純粋に外部的な思考も存在しない。それらはかならず何らかの形で国家や教団宗派やアカデミズムや業界やカルトやマニア集団に領土化されずにはいない。なぜならドゥルーズ＝ガタリの想定に反して（私の考えでは）現在の戦争機械ははるかに新しく一九世紀末から二〇世紀初頭にかけての帝国主義時代にその出自を持つのだからである。

聖戦遂行型戦争機械

資本主義の拡大再生産が均質な国内市場で飽和し、国境を溢れ出て「世界」へ出てゆく。国民国家は軍事装置を携え、後ろ盾となってその後をついてゆく。このときの資本世界化の先端部分が戦争機械をなしているのだ。その先端部分では戦争機械は国家の頚木を脱して外部性を獲得しているように見える。これらはけっして古代的な遊牧民にモデルをとっているのではない。むしろ帝国主義時代に国家の拘束を食い破って世界へ出ていった資本の自己運動をモデルにしているのである。

戦争機械はたしかに国家に帰属してはいない。だが戦争機械は国家を逸脱し国家に先立つものとして国家ないしそれにかわる帰属性を引き連れて行く。このような「不純な」「頽落した」戦争機械にはドゥルーズ＝ガタリが、遊牧民と普遍宗教が出会うところで生じる現象に与えている別の命名がふさわしい。

遊牧民は宗教にとってふさわしい土壌ではないことが確認されるのであり、戦士には常に司祭ないし神に対する不敬が存在するのである。遊牧民には、漠然 vague とした、文字通り放浪的 vagabond な一神教があり、彼らはそれに満足し、移り行く灯火戸とともに生きている。遊牧民は絶対なるものの感覚を持っているが、それは奇妙にも無神論的な絶対の感覚なのである。こうした点で、遊牧民とかかわった普遍主義的諸宗教は、――モーゼ、マホメット、さらに異端ネストリウス派のキリスト教さえも――常に布教の困難に直面し、彼らが遊牧民の頑固な不信心と呼んでいたものに逢着したのであった。

もともと遊牧民は普遍宗教にそのままではなじまない本質を持っている。だがそれにもかかわらず、定住者の領土性をおびた普遍宗教が非定住の遊牧民のなかに入り込もうとするとき、内部的であると同時に外部的でもあるような混淆的な戦争機械がそこに生まれる。

しかし、宗教と遊牧生活を二つの観点として対立させるだけでは不十分である。というのも、一神教的宗教は、全世界に普遍的ないし精神的国家を投影しようとするみずからの傾向の最も深いところに、両義性や、その傾向をはみ出す何かを蔵していないこともないのであって、まさに帝国的な国家の理念的限界を逸脱してより曖昧な地帯すなわち諸国家の外にいたり、そこで極めて特殊な適応や変異をなしうるからである。それこそ、戦争機械の一要素としての宗教であり、戦争機械の原動力としての聖戦の観念である。国家的人物としての王と宗教的人物としての司祭に対して、預言者は宗教が戦争機械になる、あるいは戦争機械の側に移行する運動を方向づけるのである。

普遍主義的な宗教がその周辺に遊牧性を巻き込むと、そこに戦争機械の一要素としての宗教、つまり聖戦する遊牧民を生み出すことになるだろう。ここでこの移動民族の形式を（ドゥルーズ＝ガタリがそう名づけているわけではないが、私はここで）聖戦遂行型戦争機械と名づけることにする。

超国家的

国家を領土化するのは王であり司祭であるが、聖戦遂行型戦争機械を導くのは預言者である。

聖戦遂行型戦争機械の例としてドゥルーズ＝ガタリがあげるのはまず、ジョルジュ・バタイユによって《発生時のイスラム教は軍事的企てに凝縮された社会である》と述べられた時期の、預言者ムハンマドに導かれた初期イスラム教団である。同じことはそれとまったく同じ意味で、これを排除するために遠征してきたキリスト教十字軍についても言える。

帝国主義時代以降世界を戦場として抗争しあっている戦争機械に適用されうるのはこのモデルである。抗争の単位は国民国家ではない。だから国民国家の複数性をその構成単位としている第一次世界大戦後の国際連盟も第二次世界大戦後の国際連合も、世界の紛争の調停に一定以上の役割を果たすことができない。帝国主義段階以降の世界で空間的占有をめぐって抗争しあっているのは、国家帰属を超えているのに、同時に領土化されてもいるような帝国主義的国家や、インターナショナルなイデオロギーでできた世界観国家に暗黙のうちに帰属しているような、聖戦遂行型戦争機械だからである。

帝国主義段階以降の世界のあちこちで起こる大量殺戮は、国際司法裁判所が定めているジェノサイドの定義——ある人間（集団）を彼らまたは彼女らがある民族・人種・国民・種族・宗教に帰属しているがゆえに殺すこと、という定義に微妙になじまないものを持っている。それはわれわれが殺戮者の性格をいまだ正確に捉えていないからだ。殺戮者は国家ではないし、狂気の独裁者でも、イデオロギー集団でも、軍隊組織でもない。ジェノサイドの主体は、聖戦遂行型戦争機械である。そのことは第二次世界大戦以後六〇年を経た現在でも、本質的に変わらない。世界空間のなかで混濁した悲劇を引き起こしているのは領土化を背負った戦争機械であり、それらはいかなる国家的・法的・ルール的・内部的拘束からも自由である。にもかかわらずその背後には、国民国家や宗派的教団からアカデミズムや「業界」にいたる、さまざまな領土性・内部性への帰属を引き連れている。

アメリカ合衆国による自由と民主主義のための戦争、イスラム原理主義の教団宗派に属するテロリスト、シオニズムの警察軍事組織、国家に超越して動く諜報機関、スターリン主義やナチズムの亡霊組織。それらは戦争機械としてあらゆる法から解放されておりながら、同時に領土化をめぐる空間的な激闘を繰り返している。これらに反社会的な強い規律を持って預言者のまわりに結集するカルト的集団などをくわえれば、社会や世界や文化現象を分節する諸運動の、おおよその見取り図を得ることができる。戦場は国家内でも国家単位でもなく、国家貫通的な世界空間である。同時にそれらが抗争しあうときには、つねに暗い領土化が背後に控えている。

Ⅶ

関東軍

近代日本は西欧型の国民国家をモデルとして自己形成するが、日本列島が持っている地政学的な意味はそれに独特な偏差をあたえずにいない。東洋の国家が持つ地政学的な偏差についてドゥルーズ＝ガタリは次のように述べていた。

つまり、東洋の国家は遊牧的戦争機械と直接に対峙しているのである。この戦争機械は帝国への統合化の道を進んでただ反乱と王朝の交替を引き起こすだけになってしまうにしても、遊牧民として国家廃絶の夢と現実を創り出すのはやはり戦争機械なのだ。それに対し西洋の国家は、みずからの条理空間のなかではるかによく戦争機械から保護されているために、国家を組成する諸成分をしっかりと保持する余裕があり、遊牧民が引き起こした移民あるいは移民化した遊牧民を介してただ間接的にしか遊牧民にかかわることはないのである。

大東亜共栄圏構想に見取り図を与えたドイツの地政学者カール・ハウスホーファーは、この時期の日本軍隊の大陸進出の最初の契機を一九二三年の関東大震災とそれがもたらした《内面的危機》にまで遡った上で、その地政学的な意味について次のように述べている。

日本が幾多の内面的患難よりして、却つて結束と外部に対する予想せざる方向とへの衝動を贏ち得たことは、其の歴史に於てこれを嚆矢としない。広大なる支那の民族地盤が内面的混乱に取り紛れて外郭保塁を失つたことは、今が初めてではない。しかしながら日本が、太平洋岸の勢力範囲より離れ、形態を変更しつつ陸地に向つて進み、アジア高地の空間移動に対し、永続効果を以て支那の費用に於て干渉せんと欲するのは、これを以て嚆矢とする。*18

日本はこのとき《太平洋岸の勢力範囲》つまり英仏ら西欧先進国民国家のシー・パワーの戦争原理をはなれ、《形態を変更しつつ陸地に向つて進み》《アジア高地の空間移動》に、つまりユーラシア内陸空間の戦争原理にコミットしようとしている。遊牧的な戦争機械との直接の対峙ということが、日本近代の戦争に、国民国家軍隊の性格とともに遊牧的・狩猟民的戦争機械をあわせもった聖戦遂行型の戦争機械という性格を与える。第一次大戦期以降の日本軍について言えば、統制派を中心とする陸軍中央が前者を代表するとすれば、石原、板垣、本庄ら満州建国時の関東軍は後者を代表する。満州事変時の軍事行動には、満州各地での戦闘においても、また当時の林銑十郎による朝鮮軍の満州への越境においても、明瞭な「天皇の統帥権」干犯が見られた。天皇の裁可や政府の決定はそれを追認するしかなかった。満州地区の統治形態をめぐる陸軍中央との対立のなかでは、しばしば関東軍の「(日本)国籍離脱」「国軍からの独立」の動きがあった。陸軍中央が一貫して、まず中国主権を認めた上での満州における親日政権の樹立、ついで満州の独立、最後に日本への併合というプログラムを描いていたのに対して、石原莞爾は当初満州の日本領有を主張していたが、のち満州独立論に転じそれを戦略的に実行に移す。陸軍中央が終始、国軍としての性格をある程度保ち続けていたのに対して、石原・板垣時代の関東軍はある時点からかぎりなく、国家から自立した戦争機械としての性格に近づいていった。

錦州空爆

石原主導下の関東軍の逸脱的な性格は、たとえば「錦州爆撃」に象徴的に示されている。柳条湖事件から二〇日後の一九四一年一〇月八日、満州に親日政権を樹立するかこれを独立国家とするか国論が流動的であったときに、石原はまったく独断で何機かの軽装の爆撃機に適当な爆弾を積み込んで出撃し、錦州上空からこの爆弾を手で放り投げて帰ってくる。錦州には当時満州各地から敗走した張学良軍が集結していたが、彼らはすでに不抵抗の姿勢をとっていたから、この爆撃に日本国軍の軍事行動としては実効的な意味はほとんどない。だが戦争機械にとってはそうではない。《石原らが、手投げで落とした数十発の爆弾は、国際連盟の当事者能力の欠如を暴露しただけでなく、連盟の加盟国がその外交政策の基盤としていた既成秩序が、無効であるという事を、鮮やかに照らしだしてしまった[*19]》。このまったく独断的で恣意的な軍事行動は、石原らの「世界観」と、それに導かれた戦争機械としての関東軍にとって無限の意味を帯びていた。

攻撃のイレギュラーな性格は、日本国内の世論に直接に衝撃を与えることができた。国内にはそれまで満州一帯を支配していた張学良を復帰させて、日本軍の占領のために利用しようとする意見があったが、錦州攻撃はこの論調を一瞬にして沈黙させることができた。幣原外交と陸軍中央は、互いに亀裂をはらみながらもかろうじて歩調をあわせていたが、この爆撃は世論の動揺をとおして陸軍中央を動かし、決定的に政府の協調外交から決別させるための楔をうちこんだ。同時に世論と軍中央による支えをなくした若槻内閣を瓦解させた。日本国内の権力関係を動かしただけではなく、それは外国から見ればまぎれもなく日本国軍の軍事行動なのだから（かりに政府がその軍事行動を否定したとしても、とりもなおさずそれは政府が軍隊に対する統御能力をすでに失っていることを意味する）日本が国家として国際協調路線から離脱することを意味していた。最後に、第一次世界大戦後の国際連盟はアメリカがそれに参加していなかったにもかかわらず、先進国のうちでアジアであり「有色人種」の国家である日本が参加していることで、地域的・民族的連合体ではなく、国民国家単位の国際組織としての原理をたもっていたのだが、日本がそれから離脱することは、第一次大戦後かろうじて表層で維持されてきた国際関係そのものを、ここで崩壊させることを意味していた。

地政学的偏差

このときの石原の戦争イメージはおそらく、当時潜在的につねに対峙をせまられていた、ボルシェビズムの世界革命戦争からとられている。ソ連（ロシア）の国家的な威嚇は帝国主義時代の、国民国家に主導された帝国主義戦争の流儀を踏襲しているから、国家とその軍事装置で対抗できる。だがボルシェビズムの世界革命戦争はその世界観の「普遍性」によって世界中のどこででも人間の頭脳の中に侵入する。それは世界のいたるところにはびこるエージェントによって無数の微細な戦争機械を作っている。それを国境と国家に帰属する軍事装置によって防御することはできない。唯一別の「世界観」をこれに対抗させて普遍性を競いながら、機動的な戦争機械を世界に発信し運動させることができるだけだ。

だがどのような「世界観」が可能だったのだろう。石原にとって世界観は田中智学と国柱会の日蓮教の教義からとられ、ドイツ留学によって学んだ一九、二〇世紀のヨーロッパの国民国家間戦争の知識によって補強されている。彼の周辺には、満州事変にさきだってさまざまなイデオロギー運動が渦巻いていた。一九二〇年代末からの満州青年同盟の活動があり、猶存社などを中心とする大川周明の運動があり、橘樸らの農本主義的分権主義の運動があった。これらのイデオロギー運動は、当時の満州軍閥支配に対抗して王道主義や善政主義や理法主義をとなえたり、世界に広がっている民族独立のナショナリズムに対抗して（指導国家のもとでの）民族協和をとなえたり、西欧による有色人種抑圧に対する抵抗をとなえたりして、それぞれに一定の求心力を持っていたが、思想的な普遍性という意味では、いずれもアジア的な普遍性にとどまっていて、ソ連のコミュニズムのような世界普遍性の外見をどうしても獲得することができない。その普遍性の範囲はアジアを超え出ることはなく、国外のエージェントや支部はもっぱら中国各地、朝鮮半島、満州各地に散在しただけだ。ただそれらのなかに農耕共同体的定住的な特質を持ったものと遊牧民的機動性をもったものを見分けられるにすぎなかった。

その結果『世界最終戦争論』にしめされた石原のプログラムは、アジア・ブロックを主導する日本が、ソ連ブロックを打ち負かしたあと、アメリカ・ブロックを主導する合衆国と世界の覇権をめぐって最終戦争を戦う、という形をとる。石原は関東軍をその世界観を遂行する戦争機械にするが、関東軍はその普遍性が限界づけられていることに規定されて、日本国家への帰属、アジアへの帰属という「根」を断ち切ることができない。宗教性や国家・地域への帰属を引き連れた遊牧性——それをこの論の中では聖戦遂行型の戦争機械と呼んだのである。

註

＊1　山口昌男『「挫折」の昭和史』（一九九五年、岩波書店）

＊2　同書。また満州協和会と大政翼賛会との関係については山室信一『キメラ——満州国の肖像』に詳しい。

＊3　山室信一『キメラ——満州国の肖像』（一九九三年、中公新書）

＊4　山口前掲書。

＊5　曽村保信『海の政治学』（一九八八年、中公新書）参照。

＊6　甘粕正彦と満州映画協会との関係については山口猛『幻のキネマ満映——甘粕正彦と活動屋群像』（一九八九年、平凡社）など。

＊7　山口前掲書。

＊8　拙著『戦争詩論』（二〇〇六年、平凡社）補論2「戦争詩・国民詩・愛国詩の用語法について」参照。

＊9　天沢退二郎「現代詩とエテロトピー構造」（「現代詩手帖」一九六七年二月号）『紙の鏡』（一九六八年、

洛神書房）所収。

＊10　ミシェル・フーコー『言葉と物』、原著一九六六年（一九七四年、渡辺一民・佐々木明訳、新潮社）

＊11　北川透「ことばの自由の彼方へ――天沢退二郎の世界」（一九六八年、現代詩文庫「天沢退二郎詩集」所収）

＊12　天沢「自伝あるいは損をするための書き流し」（前掲「天沢退二郎詩集」所収）

＊13　藤原てい『流れる星は生きている』一九四九年（中公文庫）

＊14　平野聡「チベットで何が起きていたか」（「ジッポウ6」二〇〇八年六月）

＊15　平野聡「チベット問題と中国の近現代」、清水美和「格差社会の現状」（二〇〇八年七月「現代思想」増刊「チベット騒乱」所収）、劉燕子「チベット文革の記録と記憶――二重のタブーに立ち向かうオーセル（唯色）著『殺劫』を読む（「イリプスIInd 2号二〇〇八年）などを参照したが、とくにいずれかを論拠としたわけではない。

＊16　ハナ・アーレント『全体主義の起原』「2帝国主義」原著一九五一年（一九七二年、大島通義、大島かおり訳、みすず書房）。

＊17　ドゥルーズ＝ガタリ『千のプラトー』原著一九八〇年（一九九四年、宇野邦一、小沢秋広、田中敏彦、豊崎光一、宮林寛、守中高明訳、河出書房新社）

＊18　カール・ハウスホーファー『太平洋地政学』原著一九二四年（一九四二年、太平洋協会編訳、岩波書店）

＊19　福田和也『地ひらく――石原莞爾と昭和の夢』（二〇〇一年、文藝春秋社）。また錦州爆撃に関しては山室『キメラ』を参照。

二〇一〇年一一月のパラグラフ

台湾海峡／尖閣諸島／三島由紀夫／谷川俊太郎／山村暮鳥

2010.11

別の仕事のために橋川文三の「日本テロリズムの源流」を読み、それへの反論を含む三島由紀夫の『文化防衛論』を読んだ。「英霊の声」も何年ぶりかで読み返したが、これは小説、というか作り物の散文なんだという感じをぬぐえない。それにくらべると『文化防衛論』ははるかに三島の直接的な詩を含んでおり、それはとりわけ同書「『道義的革命』の論理」が扱っている磯部一等主計の獄中手記が発散する鬼気迫る「詩」に引き寄せられて生じていると思った。磯部の、天を呪い天皇を叱り付ける、こんな文体がどうして可能になったのかに深く驚きながら、これを書いた時期の三島が、一九六〇年代の思想風土を他の誰よりも切実に集約する精神的相関者であったことに、いまはじめてのように気づいた。一九七〇年一一月二五日は彼が決起し死んでいった日だが、その日から四〇年がたった。まったくありえないことだが、もしあのとき自衛隊が一部でも決起していたら「それ以後」はどうなったろう。連合赤軍は？バブルは？ポストモダンは？八〇年代サブカルチャーは？ゼロ年代は？――だが私もまた一一月五日早朝に、まだアクセス数三万件くらいだった動画*を、なんだか心理的水しぶきを浴びるといった感じで見て、そこにひしめく書き込みに眼を走らせた。いまは三島のことも磯部のことも書くのはやめようと、そのときとっさに思った。すると何一つ書くことがなくなった。

谷川俊太郎がラジオで、人間の年齢は木の年輪のようなもので、歳を経るごとに外側に厚みが加わってゆくが、生まれたばかりの自分が中心にいつまでも残っている……と話しているのを聞いた。似たことを私も学生たちにときどき言う。歴史というのは年表のようなものではなく、地層みたいなものだ。過去は遠い向こうのほうにあるのではない。いま・ここの「下のほう」にあるのだ。だから足元の地面をボーリングしたら、過去は「噴出」する。もしもひときわ固い岩盤みたいなものがあって、なかなか管が通じないとすると、その下にあるものは硬化し蹲ったように圧を高めていて、「現在」が危うく不確かになったとき、とつぜん「噴出」する。だがそれはまた直ちに抑圧されて見えなくなる。それは何年何十年かするとまた不意に噴出するだろう。それが無限に反復されるだろう。それを「永遠回帰」と言うのだ。――だからたとえば××年代を語ると決まって隠語のように、暗号のようにささやかれる事件や人の名前があるとしたら、そこには強い抑圧があり、それに応じた間歇的な噴出があるのにちがいない。

かわりに、こんなことを書くことにした。――Ｉさんは、私が二〇年前まで勤めていた名古屋の大学の、一〇歳以上年長の、同じドイツ語担当の同僚だった。六〇年安保世代で、菅谷規矩雄と同じグループにいたそうだ。「われわれはたんなる一兵卒だったんですよ」。国会突入のときはみんな頭割られたり、さんたんたるものでした、と彼は言った。九〇年代半ば、Iさんは定年をすこし余して大学を退職し、親の介護のために実家のある田無に戻った。まもなく両親を見送って一人暮らしになった。去年の春、久しぶりに私に電話をかけてきた。独特のがらがら声で、どことなくアジテーション口調だから、電話口ではほとんど内容が聞き取れない。私がいまつとめている大学がかかえている問題を気遣うことからはじめて、終始はげしい悲憤慷慨調が続いた。戦争末期のこと、特攻のこと、何年何月までは必然の戦闘だったが、何年何月からはまったくの無駄死にであったこと。私の応答にかまうことなくひとしきりIさんは語り続け、言うだけのことを言ってしまうと、正確に一時間で電話は切れた。それから一カ月後、五月の晴れた日の、風の強い小金井で、すでに七〇を過ぎたIさんと七、八年ぶりに会った。駅近くの回転寿司の店にはいったが、あれこれの話題のあといつのまにか、特攻機はどういう方向から、どういう角度で戦艦に突入するのか、というようなことにまた話は移っていった。私は店がうるさくて言葉が聞き取れないことと、Iさんが寿司を醤油につけ、箸であちこち動かしながら、二時間たってもついに一かけらも口に入れようとしないことに、次第にいたたまれない感じになった。カシを変えたいと思い、きっかけをつくるために当面の議論とは関係のない話をもちだした。「満州にいらっしゃったんでしたね」と、昔聞いたことのわずかな記憶をたよりに、話題をかえた。終戦のときは八歳でハルビンにいた。八路軍と国民党軍の間をぬうようにして母に連れられて兄とともに数百キロを引き揚げてきた。地獄でしたよ、とＩさんは言った。

　でも生（なま）な体験の話はそれだけだった。私の車でちかくのファミレスに移動するときには、もう石原莞爾と甘粕正彦に主題は移っていた。長い間の一人暮らしでＩさんにはいくらか混乱したところがあるのではないかと、ひそかに私は感じていたのだが、どういうつながりだったのか、ニーチェやキルケゴールやヴィトゲンシュタインやフーコーの話になったとき、Ｉさんはこれらの思想家について瞬時に、すべて生身で読んでいるに違いない人の、ある独特な断面からの、これ以上ないというほどに正確な要約と評価を聞かせてくれた。私はほとんど嘆息するような気持ちでそれを聞いた。こういう話を若い人たちに言うと頭おかしいんじゃないかと彼らは言うんですよ。でも僕に言わせればおかしいのはそっちのほうだ……。岡倉天心と内村鑑三と、もっとすごいのは北村透谷、といった話に、ときおり戦前のハルビンのこと、六〇年安保のことがまざった。「国家ではなく民衆」これが引揚者の理念です。僕は旧満州、高度国防国家、東条の時代を経て、安保を体験した。それはひとつながりの時間で、その全体を支配していたのは、結局のところ戦前に新官僚と呼ばれていた連中だった。だから僕のなかで、満州体験から六〇年安保までは「岸を倒せ」でまっすぐにつながっている。

　夏には引っ越しが大仕事なので時間が取れないけれど、秋になったらＩＣレコーダを持ってぜったい続きを聞きにきますよ、と私は言った。ほんとにそうするつもりだった。深夜に近く武蔵小金井駅へ送る車の中でも、ときおりフ、フ、フと不穏な笑いを交えて、冷戦終結後の世界について話し続けたＩさんをバス停のすこし手前でおろして、日よけ帽をかぶった頭が横断歩道の人ごみへ消えて行くのを見送ったが、それがＩさんの姿を見た最後になった。

ぜひまた秋に、というハガキを翌日私は投函したが、それへの折り返しなのかどうか、Ｉさんから長い手紙をもらった。内容は要約することの難しいものだが、かな釘流の震える文字で書かれていたのは、現在世界には巨大な「収容所群島」が急速に作られつつあるから、われわれは「自由な精神」の勝利のため戦わなければならない、わたしはあなたを「同志」であると信じる、という呼びかけ、長い長いアジテーションのようなものだった。わたしには秘策があるのだ、ともＩさんは書いていた。錯綜した思いで私はその手紙を抽斗にしまったが、それから二カ月ほどして、名古屋の大学の、私と同年齢のかつての同僚から、例年にない暑中見舞いのハガキをもらった。そこには、職場にとつぜんＩさんの回章がまわった、と書いてあった。回章というのは職場関係者の死亡公告のことだ。私より何日かあとで、その同僚（女性である）もまた、名古屋までやってきたＩさんに呼び出されて会見した。そのときもＩさんはひたすら話し続け、きしめんを前にして何時間も、箸をもてあそぶだけで一口も口に入れなかったそうだ。彼女もまたその訪問の意味をはかりかねたらしいが、Ｉさんは最後の数週間、とくに親密だったわけでもない私たちのなかに、思いつく限りで、孤独に、必死に「同志」を探していたのだと思う。

Ｉさんがどうして私に「同志」として「決起」を呼びかけたのか――と考えて、月に一度巨大書店へ行って十万円分の本を買いあさってくるというＩさんは、ひょっとすると何かのおりに、私の詩集を目にしたのではないかと、ずいぶん後になって思いいたった。私はふだん、自分が書いたものを誰か詩人以外の知り合いの人が読むなどと考えたことはなく、ときどきそういうことが起こると、はげしく動揺する。Iさんにとって私の詩集がどういうものに見えたかを考えると、それは私がIさんの長い長いアジテーションの手紙を読んだときに受け取ったものと、そう違わなかったのではないかと思った。「詩を書く」という行為の本質から言って、あるいは「詩を書く人」である資質から言って、私はもっともっと小さなことを小さな構えで語るべきなのだろう。それなのにどうしていつも、すべてが誇大になってしまうのか。だが私はそのことを決して反省したりしない。私は私のささやかな詩集が、Iさんのアジテーションと同じものであることを願っているし、そうありうると信じてもいる。

終戦詔勅と人間宣言——この二つの詔書が意味するものについて考えていた。もっとも歴史の新しい、近代の人工宗教であった国家神道は、戦時すべての既成宗教を沈黙させて、外見上唯一の一神教になった。すべての超越性をその中心へ集め、人々を大きな戦争に動員しておいて、とつぜん、神が開戦したはずの戦争の敗北が宣言され、次いでその一神が自ら「人間」であることを宣言した。もちろん民衆ならば、とうの昔からうすうす知っていたことだ。だが知識人たちは、この一神教に自らの思想を整合させようと腐心していたから、彼らにとってそれは、もはやいかなる神も存在せず、なにものも「人間」に超越しない、という突き抜けるような啓示であるしかなかった。しかも戦時天皇制が具現していた超越性の「天皇論的剰余」は依然としてそこにあり続けたから、それはこの宣言自体に命令・強制という性格を与える。すなわち日本・戦後という言論の空間に、超越性の強制終了、超越性を語ることすべての強制終了をもたらした。現在では「聖」などという文字を、だれも本気で使えない。だが私はあえて、Iさんの死はどこか「聖なるもの」を含んでいたと、いくぶん本気で考えた。

たぶん誰にとっても、もはや想像力を共同化することが怖いのだ。接触恐怖を避けるために孤立した個人の占有面積は大きくなければならず、人間の密度は減少しなければならない。想像力は個別化され、身体的拘束を決してもたらさない限りでのみ、それがフィクションであることが約束される限りでのみ、共有される。想像は共有されるが、決して信憑されない。「幻想」という語の、「妄想」という意味と「信憑」という意味との間で、世界は二重になる。セカイと世界、などというふうに。だが現実には、すべてが妄想に思え、それに触れるだけでどっと心が暗くなるような、神経症的なリアリティだけが残って、すべての「問題」をそのなかに浮かべている。個々の問題以上に、この「存在の命運」、全身と全風景が鈍痛しつづけるような、この見たこともない「泥のようなリアリティ」だけが、私たちに残されているのだ。

「国民」。想像の共同体をつくりだし、支えるには強力な想像力が組織されねばならなかった。ならばそれを超えるために、あるいはそれを開くためにも、さらに強力な想像力がいるにちがいない。「想像力」は「詩」と読み替え可能だ。書かないつもりのことを少しだけ書けば、三島はこう考えた。——戦後四半世紀にわたって、「国民」を稀薄にするための、想像力潰しが勝利してきた。それは社会の技術性と正確に歩調をあわせてきた。「国民」は超えられようとしているのでも、開かれようとしているのでもなく、膝を屈し、崩壊し、瓦礫にむかって進んでいるのではないか。あと何十年かしたら「日本」はなくなって、極東に《無機的な、からっぽな、ニュートラルな、中間色の》（「果たし得ていない約束」）……と書いて、よく知られているとおり、三島はこれに《富裕な、抜目がない、或る経済大国》が残るのであろう、と続ける。だがじつのところ、残るのは《無機的な、からっぽな、ニュートラルな、中間色の》、あらゆる言語が死に絶えた、たんなる「空間」だけなのかもしれない。あのころの用語法で「ファクト」と「想像力」という語を、三島は使っている。《ファクトを認めることが冷静な理性の唯一の証左であるなら、精神の自由がファクトの味方になることはまず覚束ない。……想像力はそのようにして故意に高められた理性を基盤にして栄え、精神の自由の核ともいうべきものを形づくる。そのとき、自由人はファナティズムと容易に結びつくのである》（「『道義的革命』の論理」）。「命運」というのは正確な言葉だ。私は心理的な水しぶきがふりかかるような動画を見ながら、三島由紀夫がどのように「危険」であるのかについて、四〇年後にはじめて、ふるえるような納得の感じを持った。

絶望のはてで「晴れやか」であるほどに狂っていること。口語自由詩百年を覆ってきた朔太郎の隠喩の流れと、それに覆われ隠されてしまった『聖三稜玻璃』の暮鳥のことを思った。泥のようなリアリティの、望みなき時間を細かく区切って、過去や未来を切り離し、「現在」という謎めいた時刻を露出させたいと思う。窃盗！金魚！強盗！喇叭！恐喝！胡弓！賭博！ねこ！……

「囈語」は隠喩ではなく換喩でも寓意でもなく、単に「名を呼ぶこと」である。「繫辞の削除」によって、流れも文脈もない、単なる「名を呼ぶこと」が露出している。

この詩集が刊行された一九一五年は、大隈内閣が袁世凱に対中二十一カ条の要求をつきつけて、中国での大きな権益を手中にした年である。詩集の悪評は暮鳥を卒倒させるほどのものだったが、それは一瞬「時代閉塞」の中心に突入し、絶望の文脈のなかに露頭する「現在」を「晴れやか」にした。「À FUTUR」はいまでは完成度の高い、イマジズムの超先駆的な作品であると思われている。だがその紙を透かしてみると《日本は乞食、日本は泥棒》(「真実囈語」)と書き込まれている。それは検閲によって削除を命じられた散文だが、東北貧農の地獄に身を沈めていた詩人の、磯部一等主計と見まごうような呪詛の言葉だ。望みなきときにも、絶望の表現が「晴れやか」であること。絶望に対して、無条件で、無前提で「晴れやかさ」を返礼するような狂った対抗贈与を、できるならひとつの修辞としてとりだしたいと考えた。

＊冒頭、動画とあるのは二〇一〇年九月七日、尖閣諸島周辺の海上で、中国漁船が海上保安庁巡視船に衝突(体当たり)したときのもの。同年一一月四日に、海上保安官の一人によってネット上に流出した。この流出の是非をめぐって議論となった。

ハイブリッド純粋——宗教の東漸、概念的なものの擦り切れについて　2011.2

エルサレム／森安達也／中央アジア／アンリ・ベルクソン／井筒俊彦／本居宣長／マルティン・ハイデガー／北村透谷

初期教会

原始キリスト教がユダヤ教の胎内から分離し自己形成する過程を、ジャン・ダニエルーの『キリスト教史I』[*1]などによって記すと、原始キリスト教はまず、ユダヤ教内諸教派のうちの改革的な原理主義的な一分派である。ユダヤ教内の諸勢力のうちエッセネ派にもっとも近く、大祭司たち、サドカイ派、パリサイ派、アンナス家などとはするどく対立し、はげしい弾圧を受けている。この教派はユダヤ人の共同体の内部でその習俗を受け継ぎながらユダヤ・キリスト教（ユダヤ教イエス派）として勢力を拡大した。このときイスラエルはローマ帝国の属国であり、ユダヤ民族共同体の全体が帝国に属領化され支配を受けていた。

すこしおくれてもうひとつの流れがこれにくわわる。初代教会の敵対者パリサイ派に属し、ギリシャ語を話すユダヤ人（ヘレニスト）であったサウロが、ダマスコへの途上キリストの顕現に出会ってとつぜん回心し、使徒パウロとなって伝道を始めたことによって形作られた流れである。パウロはその信仰の基礎をユダヤ教への内的な違和ではなく「主からの直接の権能委譲」に置き、ユダヤ人よりはむしろ異教徒社会に対する布教に圧倒的な力をふるった。この系列から非ユダヤ的な、異邦人キリスト教の流れが生じている。ルカによって書かれた使徒行伝が、前半をペテロを中心として、後半をパウロを中心として描いているのは、この事情にかかわっている。

紀元四九年のエルサレム使徒会議は、全体としてキリスト教のユダヤ教からの自立を宣言するものだったが、その中に、ヤコブ、ペテロを中心とするユダヤ・キリスト教の系列と、パウロ、ルカを中心とする異邦人キリスト教の系列が並存している。この二つの流れはやがて敵対関係にいたる。一方のユダヤ・キリスト教会はヤコブを中心とするエルサレム教会として制度化され、他方の異邦人のキリスト教は、迷妄と見えるようなヘブライ的な習俗を振り払いながら、アンティオケイア教会を根拠にして対異教徒の布教を中心とした、開明的な伝道の流れを作った。

この過程で成立した共観福音書のうち、マルコの成立がもっとも早く紀元四〇年ごろ、マルコとQ資料に基づいてマタイとルカが成立するのが紀元六〇〜八〇年ころである。

ユダヤ・キリスト教の系列は、やがてローマ帝国内で激しくなったユダヤ民族主義運動の波に飲み込まれる。ユダヤ民族主義運動は紀元六〇年代に頂点に達するが、七〇年ローマ帝国によって壊滅させられる。原始キリスト教内におけるユダヤ・キリスト教と異邦人キリスト教の並立状態は、このエルサレム陥落によってユダヤ・キリスト教の命脈が断たれるまで続いた。これ以後ヘレニズム世界に受け入れ可能な普遍主義的な姿に変容した異邦人キリスト教が、ローマ帝国に徐々に受容されてゆくプロセスが始まる。異邦人キリスト教は、紀元六七年のパウロの殉教のあと「パウロは死後に勝利する」かのように、ローマ帝国内で国教化への道を歩み始める。キリスト教はここで、民族宗教であるユダヤ教の形骸を最終的に離脱して、世界宗教へと自己形成してゆく。

原始キリスト教を、媒介なくイエスの現存に繋がっている時期に限定するなら、それは紀元四九年のエルサレム使徒会議によって終わったと考えるべきだろう。新約書所収の文書は使徒行伝をふくめていずれもギリシャ語で書かれている。イエスにはじまる原始キリスト教の生成は、イエスとその使徒たちが語っていたアラム語ではなく、また旧約書が書かれていたヘブライ語によってでもなく、ギリシャ人にむけてギリシャ語で書かれた普遍主義的な世界宗教の側面だけを見せることになる。

振り落とされたたくさんの宗教性

イエスの直接の使徒たちの伝道にはじまる初期キリスト教団はそれぞれに教義解釈を持ついくつかの系列に分かれ、そのあいだに過酷な闘争があったが、それはまだ流動的なものだった。その流動的な状態が、たがいに一義性をもとめてせめぎあういっそう排他的な教義と神学の体系に向かって動き始めるのは、初期キリスト諸教団の教義であることを超えて、帝国の法としての役割を負わされることになったからである。キリスト教は民族宗教としてのユダヤ教を離脱し、四世紀はじめコンスタンティヌス帝以後ローマの国教となるが、それが「世界宗教」となった、というとき、この世界とはローマ帝国の版図をさしている。世界普遍とはローマ帝国普遍のことであって、シリア、アラビア半島、中央アジア以東を含んではいない。[*2]

民族宗教であるユダヤ教内の反対派であったイエスの集団の流れは、異教徒であったサウロ＝パウロによって引き継がれてユダヤ教の習俗的な残滓をふりはらい、パウロの死後、ヘレニズム世界に同化・適合してゆく。普遍性の均質空間の周辺部にグノーシス的秘儀世界など、さまざまな宗教性を派生させながら、やがて（イスラム世界を中継して受容された）ギリシャ哲学と鋳合されて、キリスト教は中世神学・教義学にもとづく巨大な構築としての「ヨーロッパ」を形成することになる。

キリスト教会の分裂を語るとき、ふつうにはローマ帝国の分裂にともなって起こったカトリック（普遍）教会とオルトドクス（正統ビザンチン）教会との分裂を指している。それは四世紀末ローマ帝国の分裂によっておこった「世界普遍」そのものの分裂である。〔（以下括弧内二〇二四年に記す）――それは長く尾を引いて近代にまでその影響が及んでいる。たとえば西ローマの政治的解体過程ではローマ教皇が国境を越えた支配力を実現した。これが西欧において政教分離が可能となるため前提になった。それに対して《東方では政治的区分と教会管轄区域の一致という古代教会以来の原則に従ってきたため、すでにスラブ諸国が独立するにつれ各国の教会も独立を獲得していった》（森安達也「東方キリスト教の世界」）。そのため現在に至るまで、政教非分離は東方的な政体のもっとも大きな特性となっている。ウクライナ戦争においても、ロシア正教会はあたかもロシア国家権力の一構成部分のようにふるまい、逆にプーチンは（民衆のなかで）あたかも人神のような宗教性をまとっている。」

だがまず最初に語られるべき教会の分裂はまったく別のものだ。「世界宗教」とその最初の根源的な分裂を語ろうとすれば、「キリスト教世界」から排除された、さまざまな「振り落とされた宗教性」とのあいだに起こっている、と考えられるべきだ。——イエスの現前が媒介なく力を及ぼしていた原始キリスト教のエートスは、ヘブライの習俗を介して東洋的なもの、アフリカ的なもののほうに濃厚に残存しているかもしれない。ギリシャ語新約書からは削除され、埋蔵され秘匿されてのちに発見された死海文書や、「トマスの福音書」を含むナグ・ハマディ写本から立ち上がってくるストーリーがある。ヨーロッパにむかって教義化され、その周辺で秘儀化されるキリスト教の構築とは別に、教義化されない初期教会の原始的な部分が、小アジアからシリアにかけて分布している。ひとつの普遍教会が成立するためには、その成立過程でふりおとされたたくさんの非普遍宗教があるにちがいない。

イスラムとネストリウス派

帝国国教化されたキリスト教がその教義の一義化を激しく追求する過程でローマ帝国の版図の外部へと排除した、さまざまな「振り落とされた宗教性」――それを仮に「外部教会」と呼ぶとすれば、さしあたりそれが重要なのは、アラビア半島に分布していたこの異質のキリスト教の土壌からイスラムが生成したからであり、またペルシャに移動していたこの外部教会からネストリウス派が生じ、のちに中央アジアをへて景教として中国へ流入する東回りの道をつくることになるからである。

七世紀イスラムが生成する。ムハンマドが半島を統一してイスラム国家を形成し、つづく正統カリフ時代には東ローマ、ササン朝ペルシャに侵入、ウマイヤ朝時代までにシリア、パレスチナを中心に、西はエジプトから北アフリカ、イベリア半島、東はアム川にいたり、西トルキスタン＝ゾグド地方を挟んで中国（唐）と対峙する広大な版図を占める。北方ヨーロッパへ拡大したキリスト教圏が教会の権威のために硬直するのに対して、はるかに自由な精神世界を形成しながら、それを南から包囲することになる。ギリシャ哲学はこのイスラム世界を媒介して、のちにヨーロッパキリスト教神学と合流するのである。

ネストリウス派の追放の問題。――ローマ帝国はアンティオキア、アレクサンドリア、ローマ、コンスタンチノープルなどの各行政単位ごとに教会をある程度自立させていたので、その間に神学上の齟齬が生じることになった。その齟齬は複雑なものだ。五世紀前半コンスタンチノープル主教であったネストリウスはテオドロスを神学上の先行者としていたが、その主要な論点は、多数派にさからって「神の母」というマリアの神格性を否認した。彼はイエス・キリストにおける神性と人性との合一を認めたが、二つを比較的独立したものと考えていた。これが四三一年エフェソスの第三回公会議で異端とされた内容であり、そこで統一信条として正統とされたのは、キリストにおいて神性と人性とは一つの人格（ペルソナ）において実体的に統一されていること、それにもかかわらず、マリアは「神の母テオトコス」である、という見解である。

正統として採用されたこのテーゼは、当時はアレクサンドリア主教キュリロスとローマ主教ケレスティヌスの政治的な結託によるもので、現在から見ると、なんら信仰内容の実質に関わるものではないように見えるが、このことを契機に、テオドロス・ネストリウス系の教えは、ローマ的「世界」から追放されるのである。以後それはアンティオキア神学の流れを汲み、すでにローマ教会から分離していた東シリア教会によって担われることになった。ローマ帝国からの弾圧を受けてペルシャ領へ移動しつつネストリウス派教会をつくり、それがやがて中央アジアをへて景教として七世紀に中国に流入した。[*3] そこから日本へも渡来しているとすれば、実際には一六世紀イエズス会のザビエルによるよりも千年近く前、キリスト教は日本に入っていることになる。

ハイブリッド純粋

ササン朝ペルシャはアケメネス朝を引き継いでゾロアスター教を国教としており、このほかに三世紀ころからはマニ教が大きな勢力を持っていた。これらは景教と混淆して中央アジアを経て中国に流入したにちがいない。ネストリウス派が景教として中国に入ったのは六三五年のことである。その急速な大流行の記念碑として「大秦景教流行中国碑」が、現在西安の博物館に残されている。これらの各宗教の東漸は、ササン朝以後イスラムに追われるペルシャ人たちや、彼らがたずさえてきた技術や文物を中国へ流入させた。この道すじはまた、北インドから北進した大乗仏教の流路でもある。

七世紀・中央アジアは、アジア・アフリカ・中近東に遍在し、瀰漫していたさまざまな宗教性がまざりあい、分裂抗争する坩堝のような空間・時間である。諸民族と帝国の消長が、諸教団と教義の消長と移動の歴史に重なり合い、宗教は諸国家の法と一体化したり離反したりするさまざまな共同体の栄華や没落の物語をつくる。そこには大規模な支配や抑圧や排除の力学が働くとともに、諸民族・諸宗教の交雑・ハイブリッド化が起こっている。諸民族と巨大帝国が移動し交替している歴史舞台を眺める限り、そこで起こっているのは、ある原型的な宗教性が重層と変形をかさねて、派生したり合体したりしてゆく過程である。

複数の共同体の文化や言語の重層・混淆は、表面的には個々の共同体内で固定された文化的・言語的な分節構造の混沌と錯綜化・雑種化を意味している。それはもともと純粋であったものの無限の磨耗と相殺とをもたらす。にもかかわらずここには同時に、それと並行してまったく逆の過程が生じていたにちがいない。ここで私が主張したいのは——共同体的に分節されたあらゆる一般的な本質が雑種化し混乱し錯綜し、いかなる一義的な純粋さも認められない吐瀉物のようなおぞましさのなかに、そこにだけ特権的にあらわになってくる「別の純粋」がある、ということである。

根源のはずみ

『創造的進化』（一九〇三）のベルクソンはダーウィン、ド・フリース、新ラマルク派などの進化理論を経巡ったあとで次のような結論を述べている。

《こうして遠いまわり道をしたあげく、私は出発点の考えにもどってくる。私は生命の根源のはずみが胚のひとつの世代からつづく世代へと移ってゆき、成体となった有機体は胚から胚への媒介をつとめる連結符だと考えている。このはずみこそは進化の諸線に分かたれながらもとの力をたもって、変異の根ぶかい原因となるものである。少なくとも、規則的に遺伝し累加されて新種を創造する変異を、それは引き起こす。一般に、いくつかの種が共通の原株から発散し始めたら、進化の道をすすむにつれてそれらは発散の度を強めるものである。しかし共通のはずみを仮説としてゆるすなら、それらの種に特定の諸点でおこる進化は同様であってよいし、あるはずであろう。（……）それを示すことによって「根源のはずみ」の考えもいっそう明晰にできよう。》（真方敬道訳、傍点原文）

個々の種の具体的な形態に着目する限り、交雑と進化の過程ははてしない変形と雑種化の過程であるように見える。そこで起こるのは諸々の種の異化と分散・発散である。だが生命の出発点で起こったことが、胚のなかでの「根源のはずみ」であるとしたらどうか。この限りない異化と分散・発散のプロセスは、細部の形態的な差異を相殺し磨耗させて、そこに「根源のはずみ」そのものを可視化するだろう。交雑と雑種化は視点を変えればそのまま生命の根源の抽出と純化そのものである。

特定の種の形態を理解しようとするとき、われわれはその種の概念的な本質に着目している。だが特定の種が生命の場に投げ入れられたのは根源のはずみによってである。このはずみは、種の一般的な形態においてではなく、まさに眼前にあるこの個体のなかにわきあがっている。個体は進化の水面上にあらわれたその形態において、特定の種の一般的な形態を示しているだけでなく、同時に水面下の深く広大な底面から流出している根源としての本質を目に見えるようにしている。隠された本質は、現われた形質が交雑し雑種化し異化され変形されるほど、言い換えると、そのものの概念的な本質が擦り切れれば擦り切れるほど、この個体の中に、汚れ、疲れ、死に向かって、純粋な形で抽出され、あらわになるのである。

フウィーヤ・マーヒーヤ

井筒俊彦の『意識と本質』（一九八三）は、イスラーム哲学が本質というものを二様に考えていたことに注意を喚起している。井筒によれば「二つの本質」とは、たとえば一四世紀に書かれたイージー『存在の階層』に一五世紀ジョルジアーニーによって付された註解において語られているものだ——《いかなるものにも、そのものをまさにそのものたらしめているリアリティーがある。だが（ここで注意すべきは）このリアリティーは一つではなくて二つであるということだ。その一つは具体的、個別的なリアリティーであって、これを術語フウィーヤという。もう一つは普遍的リアリティーで、これをマーヒーヤと呼ぶ》。

いっぽうにアリストテレス的な、物の一般性（この花の「花」性）としての本質があり、他方に眼前にある存在の、ありありとした個別性・実在性（この花の「この」性）としての本質がある。前者は普遍的一般者としての本質（マーヒーヤ）と呼ばれ、後者は具体的な個物そのものの本質（フウィーヤ）と呼ばれる。存在はフウィーヤとして出現するが、対象化され主体によって思考されるとき、それは一般者としての本質マーヒーヤに変わる。フウィーヤはのちにドゥンス・スコトゥスの「このもの性」などの形で、キリスト教スコラ哲学のなかに取り入れられることになる。

マーヒーヤはそのものの概念的な本質であって、言語的な分節がそのものに与えるリアリティーである。「Xは……である」というように、人が世界に対して思考的・認識的にふるまうときの契機をなしている。フウィーヤはこれに対して、眼前にある存在者が、言語的な一般化を拒むリアリティーとして立ち現われるときのありようである。この区別が重要なのは、井筒の意図もそこにあるに違いないが、西欧的な思考の中で中心的な役割を果たすのがもっぱらマーヒーヤ的な意味での本質概念であり、そこではフウィーヤ的本質は忘却され隠蔽され、多くの場合排除されてきた――この事実に注意を向けるためである。それを典型的に示すのが西欧キリスト教会のカテキズムであり、それを受け継いだ西欧近代哲学・西欧自然科学である。

近代に至るまでの西欧的思考の歴史は、概念的な本質を積み重ね構築するところになりたっている。それは不純物を排除するかたちでの純化・一義化・統一化の運動を主たる要素としており、西欧教会の神学・教義論争や激しい異教攻撃をもたらす。ところで文化的・言語的な重層と混淆、雑種化による純粋化の問題・ハイブリッド純粋の問題はそれとは逆のプロセス、宗教性に即して言えば、ヘブライ思想、イスラム、インドの哲学をへて中国・日本にいたるまでの「本質」概念の「東漸」にともなって起こるのである。井筒はその中間にイスラムを据えて、二つの「本質」概念の濃淡がつくりだす哲学的な平滑空間に注目する。

極東の端末

東漸のはてで井筒は、本居宣長の「物のあはれ」に言及するが、ここに起こっているのは決して、一見してそう見えるような、西欧的なものに対する東洋的なものの「対置」ではない。「物のあはれ」が、概念としては「擦り切れ果てた言葉」であるということ、心というものが一種の凹地であって、それはポジティブなものがすり減ったところに露出する何ものかである、ということが、ここでの議論の中心である。

《物にじかに触れる、そしてじかに触れることによって、一挙にその物の心を、外側からではなく内側から、つかむこと》。一般的本質や事物の普遍的規定などの残余はすべてさかしらの漢意にすぎない。同様に井筒は芭蕉とその俳句についても次のような理解をしめす。《一瞬の、ひらめく存在開示。人がものに出合う。異常な緊張の極点としてのこの出合いの瞬間、人とものとの間に一つの実存的磁場が現成し、その現場（フィールド）の中心に人の「……の意識」は消え、ものの「本情」が自己を開示する》（傍点原文）。言葉によって分節された平面に分節以前の「もの」が出現する。たとえば俳句がめざす「出来事」とは、この「もの」である、と。

だがこれでもまだうまく言えていないような気がする。無分節的な混沌から言語的な分節世界の生成を考えるソシュール主義の枠組から、それを遡行するようにして極東＝日本的なるものを意味づけているように見えるからだ。「物のあはれ」には不徹底なところがあると井筒は言い、《花の心をしるというが、それが花の心をしる、であるところに問題がある。ここではXがすでに花として認知されているからだ》（傍点原文）と述べる。だがそれでも事情は変わらないように思える。いわば西欧的な思考のもつ否定性への否定、「否定の否定」を語るような言い方になっているからだ。

だが宣長の「物のあはれ」についての井筒の考えのほんとうの要点を理解しようとすれば、それが西欧的なものに何かその対極的なものを「対置」しているのではなく、そこに西欧形而上学からのトポロジカルな「移動」のプロセスが含まれていると考えなければならない。この「移動」が極東へ向かう動きの末端に宣長を置いている、ということである。民族的集合体が大規模な移動を繰り返すなかで、おおきく共同体の文化や言語の「東漸」ということが起こっている。それは途上で無数の共同体を巻き込み、その規範や固有の超越性を磨耗させ相殺してゆく。純粋性を奪いながら、吐瀉物のような醜悪な異質化と混淆と低俗化をあたりにはびこらせてゆく。

この混淆化や雑種化は最後にあらゆる超越性を磨耗させて日本列島に漂着し、それ以上東へは行けないので、この世界の末端に、吹き溜まる。概念的な本質として見るならば最悪の不純物、醜悪な堆積物であるこのかたまりのなかに、あらゆる分節や超越性が磨耗され、相殺され、失われたあとの、本質の「別の純粋」が露出するわけである。そのとき日本列島は、地政学的に紛れもなくその最果て、極東のデッドエンドという特権的な空間として浮上してくる。

ヨーロッパ的世界史

ヘーゲル『歴史哲学』のなかで、共同体の歴史的諸段階は「原始段階」からはじまる。ここで人々は法的なものに対して準備のできていない不法性・奴隷性にいろどられた野蛮状態にあると看做されている。歴史が「精神」の歴史になるのは「アジア段階」からであり、宗教原理・国家原理の形成がはじまるのはその尖端の前アジア（小アジア）においてである。アジアが人類史の幼年期を象徴するとすれば、南欧ギリシャはその青年期である。キリスト教がローマにもたらされ、それを受けてヨーロッパが展開する。ローマ帝国が切り開いた仏・独・伊等は人類史の壮年期を意味し、ここではじめて人間の個体が私人としての法人格を得、支配権を一人の専制者によって代表される民族もまた個体としての統一性を得る。はるか後に人権等の権利概念が生じるのは、この共同体の基礎の上にである。最後にゲルマンが人類の老年期を象徴しており、精神性・宗教性と世俗性との統一に向かって主観の内面性のなかに入ってゆく。人類史は西欧近代から見られた典型的な直線時間を形づくっている。

西欧近代からの遠近法のためらいのない適用という点では『資本主義的生産に先行する諸形態』におけるマルクスも同様である。ここでは資本の本源的蓄積へ向けた共同体の進化が直線的な時間軸を形づくっている。資本の蓄積が可能になるためには農業化とそれにともなう土地所有・手工業化といった展開が必要であり、奴隷制がながい迂路をへて自由な労働者を生み出す過程が不可欠である。資本制に先行する共同体はアジア的・スラブ的・古代的・ゲルマン的という順で進化するが、その進化の原理をなすものは共同体とそのもとでの土地所有との関係である。たとえばアジア的共同体においては土地はすべて共同体の所有であり、個人はそのなかで自らの使用地を占有するだけである。それに対してゲルマン的共同体は、それぞれに自立した土地所有者がまず存在し、その上に統一体としての共同体が作られる——というように。

ヘーゲルとマルクスの世界史をつらぬいている一方向的な直線時間は、西欧近代を中心とした同一の遠近法を形づくっている。「起源」へ遡行しようとすれば、地中海世界を起点として逆時計まわりにスエズを通過して小アジアからインドへ向かう経路が想定できる。この海上の道は人類史の青年期からアラブの未成年地帯をとおり、ここで未開な宗教性としてのイスラムと交差し、精神の少年時代たるアジアの農耕共同体の豊穣な空間に至る。それはインドをへて「日の出」の世界たる東アジアへと向かっている。

南欧から歴史を前方に向かってたどろうとすれば、道は時計回りに、かつてのギリシャからローマ帝国の版図に広がり、壮年期ヨーロッパであるイタリア・フランス・ドイツへ向かう。その延長上に暗く、夜に落ち込みつつあるヨーロッパ、ポーランド・ロシア・シベリアが続いている。

ユーラシア大陸を海路によって取り囲む前者の円環は、近代以降、帝国主義時代にいたるヨーロッパのシー・パワーの世界制覇の道筋をそのままなぞっている。またこの円環は逆に、その時計回りの半周部分において、かつて荒蕪の土地ヨーロッパがローマ帝国の版図にはいるにしたがってキリスト教を受容してゆき、その先端部分が東欧からロシアへと手をのばしてゆくストーリーをなぞっていることがわかる。

霊性の東回りの道

ここでヘーゲルとマルクスの歴史的遠近法が、一つの空間を言い落としていることに注意を喚起しておきたい。それは彼らによって「歴史にまだ入っていない」と考えられた空白の地域であり、深い夜の中にあって「まだ夜明けを迎えていない」、と考えられている地域である。それはどこにあるのか。ユーラシア大陸を海路沿いに円環してきた道筋が東アジアに行き着いたところで、おおきく湾曲して内陸部に向かう。東北アジアの日本海還流地帯を回りこむようにして満州平原から中央アジアへ入り込むところにあらわれる空間。あるいは同じことを逆に言うこともできる。没落しつつある日没のヨーロッパから、さらに夜の中へ深くすすむことによって到達可能な空間——と。

ハイデガーは、世界大戦というかたちで「西欧の没落」に立ち会って、シュペングラーのようにその没落をさらに深い没落にむかって延長する道も、フッサールのように真に西欧的なものを求めてヨーロッパの揺籃たるギリシャへと回帰する道もえらばなかった。それはいずれもヘーゲルとマルクスによって完成されたヨーロッパ的な直線時間上に描かれる歴史物語のヴァリアントでしかないと思われたからである。

ハイデガーは、没落へと行き着くヨーロッパの直線的な時間そのものの「外へ」、すなわち直線的な歴史物語 Historie ではない、累積的な（地層的な）歴史 Geschichte へと踏み外そうとした。ほんとうの原初とは直線的時間の起点のことではない。この直線的時間そのものがそこから生み出されたような、時間の母胎のことである。ヘルダーリンを読みながら、そこにヨーロッパの出発点であるギリシャではない、「もう一つの原初」への暗示を受け取る。いっぽうでゲオルク・トラークルを読みながら、この夕暮れをいっそう夜のほうへ深く踏み込んでゆく。めざされているトポスの位相は同じである。西欧 Abendland は文字通り夕暮れの国 Land des Abends

であるが、その道はながい薄明 Dämmerung の地帯をとおってやがて早暁 Frühe へ至るだろう、と。われわれがユーラシアと呼ぶのは、この「東回りの道」のことである。

この薄明を支配するものをハイデガーは geistlich という語で呼ぶ（「詩の中の言語」）。この語はふつうには、聖職者的あるいは坊主的というような意味しかもっていない。だがあえてこの語を使わざるを得ない。なぜなら精神的 geistig という語は、物質的 stofflich という語と対置されていて、近代の実証主義的な世界を二分している原理にすぎないからである。geistlich はそのとき「霊的」などと訳されるカテゴリー、存在の別の次元を意味している。

消極的な心霊的の東洋国

ハイデガーが語るのと「同型」の史的トポロジーを探すと、北村透谷が『エマルソン』の末尾近くで展開した、つぎのような記述が見つかる。

《欧州のポジチーブの思想は、欧州の休息なき（レストレッス）心性の賜物（たまもの）にして、英独仏等近世の欧州国は、何れも此の種の心性によりて成り立たざるなし。羅馬の胎内より生れ出でし近世国は、この積極的の思想を以て、古代の消極的心霊的の東洋国を破滅して、取って以て易（かは）れるなり。東洋に生まれたる基督教は、彼等の西洋に入りて其の半面なる積極的教理に蔽はれたり。欧州は所謂事業の国として発達せり、羅馬及希臘の遺物を合せて、更に荘厳高美の国として進歩せり。シエークスピーアを生めり、ナポレオンを生めり。然れども彼等の中にありて、一の欠けたるもの、一の免がる丶を得ざる欠点、として知らるるは、幽寂の味之なり。》(『エマルソン』「其五　エマルソンの自然教」)

《古代の消極的心霊的の東洋国》とは、ローマの属国であった当時のイスラエルのことである。ここで「事業」と対置されている「幽寂」は、「人生相渉論争」で山路愛山の《事業》に対置された《空の空》――決して「人生」のなかに還元不可能な何か――の延長上に発想されている。キリスト教はセムの地に生まれた東洋の宗教である。ローマ＝ヨーロッパはその《消極的心霊的》な起源の国を滅ぼして、それを事業の空間に変えてしまった。ヨーロッパの国々はいずれも、その思想をポジティブなものとして持っている。キリスト教もまた西洋に入ると積極的(ポジティブ)な教理に蔽われるようになり、ヨーロッパは「事業の空間」としてひらかれることになる。そこではキリスト教の生誕の地がはじめに持っていた決定的な何か――あの《幽寂》が消えている。

トポロジカルな擦り切れ

透谷はキリスト教の「西回りの道」を否定することで、原始キリスト教がまさにユダヤ教の胎内から分離してきた――まさにその場面を言い当てようとしているのだ。透谷は言う。《波斯人は寧ろ「自然」の盲称者たり。希臘人は寧ろ「自然」の力を畏れたり。羅馬人に至りては自然よりも人間の権(ちから)を信じたり。欧州の近世国になりては、「自然」は殆ど何物にても無かりしなり》。――ヨーロッパにとっての「自然」は、「ネーチュア」とルビを振られる《製作的な》対象的な自然であって、原ギリシャが見出したような《造化》（「内部生命論」）すなわち《「力（フォース）」としての自然》（「人生に相渉るとは何の謂ぞ」）ではないことを、透谷は繰り返し強調している。*4「事業的なヨーロッパ」は、この「ネーチュア」としての自然の上に作られ、その展開はほぼスピノザまで続く。ゲーテとカーライルにおいてようやく「自然」に対する態度は反転するが、彼らの《万有的趣味》もまた、ギリシャに淵源しているためにヘブライ的な根源を見出すにいたらない。

ローマ帝国に入ることでヘブライ的起源から根を抜かれたキリスト教は、ポジティブな思想の流れとなってヨーロッパからアメリカを経て、この西回りの道をたどって「事業」の空間として日本近代に入り込んでくる。この「西回り」の世界史の流路は決定的な何かを欠いている。それこそが《幽寂》——西回りと東回りの思想の流れが、その分岐以前に胚胎していたはずの何かである。それは、起源的なヘブライからインド・中国を経て「東回り」に透谷に届けられたものだ。

ソシュール主義もポスト構造主義も、どれほど主客二元論を疑っている場合でも、「こちらから向こうへ」という認識論的な構えを撤回したことはない。この方向を保存したままで主客二元論を否定し廃棄して見せているのだ。だが「名辞以前」こそが実在者であり、名辞と人間の意識こそがその付託を受けて仮象的な現実を作っていると考えるような思考、混沌こそが自己分節して「世界」をつくるという思考は、その延長上に現われてくることはない。近代の末端になってロマン主義的な霊感やシュルレアリズムが間欠泉のように、それを噴出させただけだ。極東の近代のはじまりで透谷が遭遇した問題は、キリスト教世界からみたアジアやアフリカの問題が、かって原始教会が初期設定した「世界の外」からはじまっており、まもなくそれが世界史の最後の問題として浮上してくるだろうことを予告している。

「幽寂」とは、沈黙の中で物のほうから語りかけてくることである。重要なのはここで「向こうからこちらへ」という方向が出現することである。それは根源となる宗教性が、最初に「啓示」とか「福音」とかの語で呼んでいながら、のちの神学や哲学や自然科学のなかで失われていたものである。この出現はイスラムの二つの本質論を中間に置いて、思考そのもののトポロジカルな移動を算入しなければ理解できない。こちら（人間）からあちらにあるものに向かう了解（存在了解、世界了解）のありようが擦り切れて「別の」リアルがあらわれてくる必要があるからだ。こうした反転が起こるためには、概念的な本質でできた世界が擦り切れるための膨大な空間、そこを移動するリアルなプロセスがなければならない。ギリシャ形而上学が支配するトポスから、徒歩によってか馬や駱駝にのってか、身体が空間的に移動することが必要なのだ。

＊1　ジャン・ダニエルー『キリスト教史1——初代教会』（上智大学中世思想研究所編訳／監修、平凡社ライブラリー）
＊2　このことは佐伯好郎『景教の研究』（一九三二）などの前提となっている。同書は景教研究の先駆的な業績である。ただし同著者による後の日猶同祖論に関しては、現在の研究において一般に否定されている。

＊3　森安達也「スチュアート『景教東漸史』について」（一九七九）など参照。

＊4　この問題は、ハイデガー技術論における「ポイエーシス」と「テクネー」の議論に近接するが、ここでは重ね合わせない。

＊　この文章は「詩論へ2」（二〇一〇年一月）に発表した「霊性の東回りの道」と、「詩論へ3」（二〇一一年二月）に発表した「超越性アレンジメント」から、一部を抄出して再構成したものである。

北緯五〇度

2015.11

石原吉郎／カール・バルト／内村剛介／アルマ・アタ／カラガンダ／ハバロフスク

断念という語

石原吉郎を思想史的文脈のなかで解読しようとすると、まず第一に「断念」という日本語がはらむ独特な屈折が問題になるにちがいない。断念とは意思を断つことだ。圧倒的な強制力が加えられて、意思は圧しつぶされる。だが意思は単に無化されるのではない。何か不穏な反作用のようなものがいつまでもそこから放出され続ける。西欧の思想の中に何かこれに似た——こんな《部厚い了解》を求める——概念があるだろうか。キルケゴールの「絶望」。ハイデガーの「放下（ゲラッセンハイト）」。無自覚な絶望には見込みがないが、自覚された絶望ならわずかに神との通路が開けるとか、存在の趨勢には身を任せるしかないが、この放下のなかではじめて存在の趨勢の一部たる技術の操作可能性を手に入れるのだとか——これら端正な哲学的語彙の中に「断念」がはらむような不穏な作用力のための場所はない。

「断念」には表からは見えにくい何か永続的に処理不可能な廃棄物のようなものが残されている。石原自身の語彙のなかにそれが名指されているのをさがして私たちはわずかに「報復」という語を見つけるのだが――彼はまた、詩を書き始めたばかりのころ鮎川信夫から「一篇の詩を書き終ることは、いわばその詩を放棄することにひとしい」[*1]といった意味の言葉を聞いて、それを一種奇妙に新鮮な違和感とともに受けとった、と述べている。その違和は放棄という語を「力つきてその詩を投げ出す」という意味で受け取るところから来た。だが石原はそれから十数年後「断念」という発想にたどりついたとき、鮎川のこの「放棄」の語こそが自らを「断念」の方向へと導いたものであることに、時間を遡行するようにして気づくのである。

放棄＝断念。電子辞書をあちこちジャンプしながら考えると、鮎川の「放棄」はいつまでも完成しない作品を投げ出すこととして abandon であり、書き終えて作品への支配権をゆずり渡すこととして renounce である。だがいずれの語においても残存し続けるアクティブなものが前面化されないような気がする。insinuate あてつけ、ならどうだろうか。そのラテン語の原型 insinuatus は「相手との間にたくみに身体を曲げて入り込ませる」という意味である。そこから「考え・心などを巧みに徐々に相手に植え付ける」が生じる。こうして「断念」はある種の攻撃性を手に入れるような気がする。「きみが詩を」ではなく、詩がきみを、こんなにも早く終えたことを悲しむ――これは鮎川信夫の石原追悼詩の末尾だが、それはこの攻撃性が必敗のものであること、だが必敗のものがなおかつ攻撃であることを語る。おそらくこれが、一九六〇年代末に石原がこの日本語にこめた意味であり、いくぶん過剰な踏み込みを語れば、「戦後日本」が、このとき石原の「断念」によって語りだしていた意味なのであろう。

バルト『ローマ書講解』

書物はいつ、どこで読まれるかによってその性格をまったく変える。カール・バルトの『ローマ書講解』は一九一六年から、第一次世界大戦下スイスのバーゼルで書かれる。一九一八年末に公刊されるが、ごく少部数の人々の手に渡っただけだ。だがこれがドイツで刊行されるとただちに売り切れ、改稿された一九二二年の第二版以降版を重ねて、二〇世紀神学に「革命」をもたらした、と言われている。パウロによってローマに伝えられた福音がここでどのように語られるのかというと――《それは決して宗教的な音信、人間の神性や神格化についての情報や指令ではなくて、全く他なるものとしての神、人間が人間であるかぎり何も知ることができないであろう神、そしてまさにそれゆえに、人間に救済を与える神についての音信である》。《「われわれの主イエス・キリスト」。(……)この名において二つの世界が出会い、別れ、既知の平面と未知の平面の二つの平面が交わる。既知の平面とは、神によって創られたが、その根源的な神との一致から脱落しそのために救いを必要とする「肉」の世界、人間と時間と事物との世界、つまりわれわれの世界である。この既知の平面が、もう一つの別な未知の平面によって、父の世界、すなわち、根源的な創造と究極的な救いの世界によって切断されるのである》[*2]。イエスはその切断線上の一点として、この二つの平面の遭遇を証ししている。だがこのような神学がどうして「革命的」なのだろう。——第一次世界大戦直後のヨーロッパ全土の廃墟が目の前にある。一千万人を超える死者たちがいる。歴史的な事実性を支えとして成り立っていた自由主義神学は、そこで息の根を止められたにちがいない。あらたに登場したバルト神学は、神の世界が、いまや世界規模の廃墟にゆきついたこの世界とは「別のもの」であること、まさにこの人間の世界の「切断」においてこそ出現するものであることを告げる。こうして「絶望」がこの世界のすべてを色濃く覆ってゆけばゆくほど、「希望」が、その他者として狂おしいほどに濃密に立ち現れる場面を作り出した。

詩・散文・散文詩

では第二次世界大戦「戦前」の日本において、バルトのこの本が持った意味は何だったのだろう。私たちはいま、石原吉郎という詩人を、晩年の「日本的」美学のような——モダンによって「ナショナル」として受け取られるような——局面においてではなく、特殊「日本戦後」的な詩人として語ろうと思うのだが、石原吉郎が最初に丸山仁夫訳の『ロマ書』を読んだのは、東京外語卒業後大阪ガスに勤務した一九三八年のことである。前年すでに日中戦争が始まり、この年石原は郷里の静岡県で徴兵検査を受けている。同書にふれたのち住吉教会に赴いてバルトの直弟子であるエゴン・ヘッセルに会うが、住吉教会の主任牧師が当時の「日本的キリスト教」の信奉者であったことを嫌って別の教会に場所を移して、同年のうちにヘッセル師から洗礼を受けている。翌年石原は神学校入学を決意して上京し信濃町教会に転籍するが、一一月には召集を受け静岡市歩兵第三四連隊に入隊している。マルクス主義・エスペランティズムに触れ、北條民雄に遭遇して以後繰り返しその全集を買い換えることになる繊細な青年にとって、一九三八年、未来こそが「廃墟」であり、人間の世界はひたすら「絶望」にむかって進んで行くように見えた。この世界に帰属するかぎり神は全く「他なるもの」である。ここで神の国に帰属しようとしたら？第一次大戦後のヨーロッパに『ローマ書講解』が、「絶望」のただなかでの超越的な「希望」を告知したのとは全く逆に、この本は一九三八年の日本で、「希望」を求めれば求めるほど、やがて「絶望」に向かって進んで行くにちがいないこの人間の世界に対する「断念」を、石原に教えるのである。

石原の自己放棄的な心性自体はまちがいなく彼の幼時から、一八歳で最初の自殺未遂、と彼自らが語っているときから、とりわけ親との関係を通して彼に刻印されていたにちがいない。だがそれが世界大の論理の形をとって彼を捉えたのはこのときだと思う。もちろんここでもまだ「断念」という言葉が彼にやってきたわけではない。「断念」というこの語が、彼の生の全体を包み込むものとして彼にやってくるのははるかに遅く、一九六〇年代末のことだ。石原の詩は一九五〇年代半ば「位置」という語とともにはじまる。石原の散文は「断念」という語とともに、彼の帰国の二〇年後になってようやく始まる。では散文詩はどうだろうか。詩「Frau komm!」の構想が石原に生まれたのは、一九五六年九月三日のことである。*3

Frau komm!

散文詩「Frau komm!」は「ドイツ難民白書から」と副題され、《一九四五年三月九日　ケーテ・ヘードリッヒは射殺された》という一行で始まる。ソ連軍のドイツ侵攻を予期して二人の姉妹が農家の地下室に隠れている。そこへ第一ウクライナ方面軍のフォードル・マイマーノフ上等兵が扉を破って押し入ってくる。奥に隠れている二人の少女に向かって〈Frau komm! 来い、おんな!〉と叫ぶ。上等兵はその一人ケーテ・ヘードリッヒの顎に銃口を当てる。第六連の最後はこうである。《いずれの側にも弁明はなかった　もっとも強いものの手に銃があり　もっとも弱いものの目に一切があった　置き忘られたヨーロッパの死角のなかで彼らは瞬時火のように了解しあい　そしてまたたくまにはなれ去った　ドイツの処女はゆっくりと地にくずれた　銃声を聞いたものはなかった　血の匂いをのこして国境は通過した》。

石原はなぜ一九五六年の日本で、一九四五年のドイツ国境でのソ連軍侵攻のことを書くのだろうか。「ハルビンで裏切りはすでに」[*4]における内村剛介にとって答えは自明である。敗戦期のソ満国境と独ソ国境が完全に置き換え可能なのは、それらが同じソ連兵の野放しの略奪暴行の舞台だからである。《ソ連軍の暴行と日本人の密告を結びつけるものが、ひとつには「Frau komm!」である。これはベルリンでのソ連軍将兵の暴行に関している》。——「Frau komm!」の全文を引きながら、石原がラウエルブルクの農家の窖と書いているものを《ソ連軍のベルリンでの暴行》などと語り変えて平然としている度量の大きさはさすがに内村独特のものだ。ところで石原の自筆年譜によると、ソ連軍進駐直後のハルビンでは各所でソ連兵の略奪暴行が荒れ狂っているが、八月下旬になると目的不明の日本人狩りがそれに加わる。屋外を通行する日本人はただちに拘束され、貨車に収容された。日本人であることの確認には中国人または白系ロシア人があたった。さて内村の問いは、この石原の記述について、石原はなぜ密告者として中国人・白系ロシア人だけを名指し、そこに日本人を加えなかったのか、という地点へすすむのである。——《日本の荒廃は戦中の日本軍の日本人の在りようそのものに萌していたのであって、敗戦はそれをあらためてあられもなく示したにすぎない。日本はそして日本人はみずからをすでに裏切っていたのである。そののち石原がシベリヤで見たものはもうひとつの世界大の荒廃であったというだけのことだ》。内村が言いたいのは、石原には自国民による自国民の裏切りをあえて見まいとする規制があったのではないか、そしてそれが世界の政治的現実の仮借なさを見る目に、どこかで覆いをかけているのではないかということだ。

凌辱されたロシアの

詩「Frau komm!」の第七、八連はこうである。——《風がフョードル・マイマーノフを奪った　森へ来て彼は弾倉を抜いた／〈凌辱されたロシヤのひとりの処女のために〉／彼の良心をモスクワがささえていた　脂にぬれた引鉄の下で　アジヤの坑夫の指は安堵の平衡をたもっていた》《国境が遠ざかった　エルナ・ヘードリッヒの素足の下に部厚い了解があった　ケーテ・ヘードリッヒは無数の記憶へ分解していた　エルナはふたたびあとをふりむかなかった　重い石がいっせいに墓穴へすべりおちた》——この詩前半部で保たれていた事実叙述的な文体が、とつぜん比喩的なほのめかしの文体に変容する部分である。ケーテ、エルナの姉妹のうちケーテは銃殺され、エルナはおそらくは近くの森へ連れ出されて凌辱されたのであろう。それを暗示するのはエルナの《素足》であり、また石原には稀有な（いやそれは意外に多いのかもしれない）性的な喩、《森へ来て彼は弾倉を抜いた》《脂にぬれた引鉄の下で》である。だがここに置かれているのは、内村がそこに読みたかったようなソ連兵の見境のない暴行、戦争の現実の仮借なさをしめす修辞ではない。彼の暴行は《モスクワ》の正義によって相殺された、それによってかろうじて《アジヤの坑夫の指は安堵の平衡をたもっていた》と述べながら、その前に《凌辱されたロシヤのひとりの処女のために》（傍点引用者）という一行が挿入されている。さらに——《エルナ・ヘードリッヒの素足の下に部厚い了解があった》と記されている。《部厚い了解》とは何か。それはたんに、そこで被った外傷がとても深いということを語っているのではないし、仮借ない現実に文学的強度の覆いをかけようとしているのでもない。なによりもその了解が報復の了解であり、長い時間をかけてさらに「報復の反復」に転化するような質のものだということを暗示しているのだ。一九四六年フョードル・マイマーノフはカラガンダの炭坑に戻り、共青に参加する。《一九四八年エルナ・ヘードリッヒはアウシュビッツを通過した》。——いったいなぜ、エルナはないのか。

一九四八年に、もはや強制収容所が解放された後の、アウシュビッツを「通過」しなければならないのか。

時空の置換

虚心な読者は触知できるのではないだろうか。この詩を支える技法はじつはドキュメンタリーではない。このことを指す適切な修辞的概念があるかどうか知らないが、それは「時空の置換」ということである。詩の批評家や鑑賞者はこのことに多くの場合気づかないが、実作者なら誰でも知っているなじみ深い手法だ。自らがかかえた問題が、関係的にあるいは状況的にとうてい語りだせないようなとき、作者はそれを、それと相似の、だが時間的・空間的にまったく隔たった歴史的状況のなかに置き換えてそれを公開する。作者は語るべきことを自在にそこに吐露することができるが、解読者は作品から、ただそれが背景としている歴史的出来事だけを探り出して、作品を解明しえたかのような気になる。

「ドイツ難民白書より」と副題に記された文書はおそらく実在しない。ラウエルブルクという地名も同様である。それは詩の内容に「別の」歴史的遠近法と事件性を付与するための意図的なミスリードである。もちろん実在しても一向にかまわないのだが、それはただちにソ連侵攻時の一篇のドキュメンタリーとして読むべく解読者を身構えさせるだろう。おなじ「ノート」の直前に記された《浅薄な報復を夢み》[*5]で暗示される身辺の至近の出来事と――石原は戦後の日本でほんとうに「告発」せずに生きただろうか、石原があからさまに「告発」している場面をわれわれはすでに知っているのではないだろうか、それこそが一九五九年の「肉親へあてた手紙」ではないのだろうか――はるか独ソ国境での世界史的事件との間にはりわたされた「報復」とが途方もない距離の糸で結ばれる。なによりも重要なのは、この張りわたされた距離の間に、隠し模様のように――おそらくは石原の意図を超えて――「戦後日本」の「報復」が編みこまれているということだ。まさにこの編みこみのためにこそ、満ソ国境と独ソ国境との「時空の置換」が仕組まれているのである。

「Frau komm!」を発想した日の「ノート」にはこう記されている。――《作品の主題は、おそらく誰もとりあげようとはしない〈報復〉の問題だ。「報復ということの永遠の正しさ」》[*6]。石原の「断念」を鮎川の「放棄 renunciation」にまで遡行し、そこに「報復」の含意を露出させ、日本の敗戦を跨ぐようにして立っているこの二人の詩人の語彙を、敗戦期の境界的な時間のなかにアレゴリカルに、あるいはメトニミカルに流動させる。その霧や跫音のなかから浮上してくるのは「戦争放棄 renunciation of war」――以後もっぱらその輝かしい側面において語られ、そのことによって同時に隠されることになったこの語が、その表層のしたに「報復の断念」を含意している、という《部厚い了解》である。

断念・放棄・報復が結晶体として姿を見せているこの応答こそは、潜在する「日本戦後」的な複合が露頭を見せている稀有な場面なのだ。すなわち――第一次世界大戦後すでに西欧は、この戦争が十数世紀にわたって形成されてきた西欧世界そのものの帰結であり破綻であり没落の始まりであることを明確に意識していた。フッサールやシュペングラーのような思想家の洞察によるだけでなく、それは一九二八年のパリ不戦条約が国際的に明示していたものだ。しかし西欧世界は、その理念にふさわしい世界秩序も国家形態も、自らのなかから生み出すことはできなかった。だからこそ第二次世界大戦後の西欧近代の先進国たちは、第一次世界大戦後の自らの自己否定の形そのものを、非西欧の、アジアの敗戦国に負わせようと考えたということである。

西欧近代は、第二次世界大戦後に敗戦国である日本の、傷ついた民族的実体に被覆させるための瘡蓋を用意するに際して、「象徴天皇制」というアジア性とあわせて、「戦争放棄」という、西欧近代自身の自己否定・自己克服の原理をもってした。日本国憲法第九条のもっとも大切な点は、それがそのまま、西欧近代の内在的敗北宣言であるという点である。世界史的理念は直接に世界史的現実となることはないが、そこに「世界史の狡知」が働かずにはいない。西欧は戦勝者として敗戦国日本にみずからの西欧近代国家原理の「否定」を押し付けざるをえなくなる。西欧近代は、日本というアジア的共同体の軍事的敗北のうえに、自らの世界史的敗北宣言を書き込むのである。

過剰に相手に従属することによってかえって相手に不気味さを感じさせる

現在のポリティカル・コレクトの感覚から言えば決して穏当とはいえない比喩で――だがそれ

はほんの三〇年ほど前まで私たちの戦後文学のほとんど常套的な比喩であったし、そのすぐれた解読者たちにも事欠かなかった——内村剛介は述べている[*7]——《原点には明らかに強姦があった。それ以外のものはなかった。その強姦の帰結としていま彼女は子持ちの身になっている。原点には彼女の意志と肉体とに対する暴圧だけがあった。彼女の意志と愛情はまったく欠落しボディのみがあった。その直接の結果としていま彼女は子持ちなのであるが、どのような事情があったにせよ、子持ちの身となったからには、彼女のボディはボディなりの愛をはぐくんでくる》。——ここでは日本国憲法の成り立ちが語られているのだが、内村剛介がこのことをなぜ直接に、石原の詩「Frau komm!」について語らなかったのか、私たちは不思議に思う。比喩と現実行為の両方の意味で、第二次大戦前後のこの時期、いたるところで国家による民衆の強姦（他国家による自民族への、自国家による他民族への、自国家による自民族への）、そして民衆内部での強姦——そしてそれが生み出す無数の報復の連鎖があった。それこそが詩「Frau komm!」に、ドイツ人姉妹とともに〈凌辱されたロシアのひとりの処女〉の碑銘が挿入されている理由である。

　私たちはとりあえずここで、この「関係」とその「関係の反転」を受け取ることにする。その「関係」が語るものは——ラテン語の原型であるinsinatusを呼び戻して、その辞書的な意味を延長しなければならない。すなわち「過剰に相手に従属することによって、かえって相手に不気味な脅威を与えること」。だから内村はこう続けている——《汚辱は汚辱として忘れはしない。いつまでもそれを踏まえていく。少なくともこの汚辱をあえてしたものにそれを返却するまでは踏まえてゆく。この汚辱の払拭のうちにはじめてほんものの「基本」があらわれるべきものだからである。われわれは与えられた憲法を与えた者に返却するのだ。この返却の過程において、「与えられた憲法」に拠ることは有効であると考える》。

北緯五〇度

エルナ・ヘードリッヒは一九四八年、スターリニスト＝ポーランド統一労働者党が政権を確立したこの年に、アウシュビッツを「通過」する。ラウエルブルクからアウシュビッツへ、さらにマイマーノフ上等兵がおそらくは襟章などに付けていたであろうウクライナ方面軍の「ウクライナ」へ、さらに彼が一九四六年ふたたび帰っていったカラガンダの炭坑へ……。カラガンダはまた、移送されてチタ、イルクーツクからソ連に入った石原吉郎が、アルマ・アタについで一九四八年、二番目に収容された収容所の所在地である。ヨーロッパ＝ロシアの部厚い地図帳を開いてその線を東へ延長すると、重労働二五年の判決をうけた石原がバム鉄道沿線の森林伐採に従事したコロニーと、根拠地であったタイシェットがその五度ほど北にあり、その線はさらに抑留最後の三年を彼が過ごしたハバロフスクへと続いている。ひややかに和解しつつあったヨーロッパから、「放棄」こそが「断念された報復」として消えることのない力を保ち続ける国へ向かう、一本の線が現われる。アウシュビッツ→ウクライナ（キエフ）→カラガンダ→イルクーツク→チタ→ハバロフスクは北緯五〇度の直線上にまっすぐに並んでいる。

「報復」はもはや私たちに無関係な部分であるように見える。だが無関係を正しく無関係にするためには、私たちの「放棄」が「断念された報復」を潜在させていた文脈を、正確に記憶にとどめておく必要がある。北緯五〇度は、世界を横断して埋め込まれている無数の「報復」の線に、戦後日本もまた繋がっているということを、忘れないための指標になるのである。

＊1「断念と詩」（一九七七年）、『一期一会の海』（一九七八年、日本基督教出版局）

＊2 カール・バルト『ローマ書講解』（小川圭二・岩波哲男訳、平凡社ライブラリー）から引用。

＊3「一九五六年一九五八年までのノートから」一九五六年九月三日の部分。

＊4『失語と断念』（一九七九年、思潮社）所収。

＊5「一九五六年一九五八年までのノートから」一九五六年八月二四日の部分。

＊6「一九五六年一九五八年までのノートから」一九五六年九月三日の部分。

＊7「『順法』と『革命』の逆説」（一九六八年）、『わが思念を去らぬもの』（一九六九年、三一書房）所収。

占領状態について　2019.5

台湾／黄亞歴／西脇順三郎／鮎川信夫／鶴見俊輔／ハーバート・フェイズ／セオドア・コーエン／李張瑞

台湾の日本語詩人たち

（二〇一八年一〇月八日北海道文学館における矢野静明との対談「戦争とモダニズム――吉田一穂を中心に」（司会高橋秀明）における瀬尾の発言部分より）《――郷土ということについて矢野さんが話されたので、それとつながるかもしれないと思って話してみるんですが、このあいだ台湾映画を見ました。『日曜日の散歩者』（二〇一五年、黄亞歴監督）っていう映画なんですけど、矢野さんもそれについて長い映画評を書いていらっしゃいます。戦前期の台湾のモダニストたちの映画なんですね。当時台湾でモダニスト詩人であろうと思ったら、日本語でモダニズム詩を書くしかない。東京に留学して西脇（順三郎）先生についたりするわけです（この映画に挿入される西脇教授との八ヶ岳ピクニックは一九三八年のことである）。普段は台湾の町でちいさなサークルを作って、そこでモダニズムの詩やプロレタリア詩を書いている。その人たちがやっぱり戦争期になると、大東亜文学者大会なんかに呼ばれてくる。日本のモダニストたちプロレタリア詩人たちが戦争に加担していったのと同じように、台湾の詩人たちもやっぱり日本の戦争に加担させられるということがあった。そこまでは、まあ似たようなことがあったという話ですむような気がするんだけれども、あの映画にはさらにその先があって、つまり戦争が終わって台湾が日本の植民地であることから解放されたときに、それを日本の詩人たちと同じように軍国主義や戦争詩の蒙昧から解放された、というような言い方で呼んでいいのだろうか。日本の詩人たちについてはそういう言い方でいいだろう。だから敗戦後は戦後詩人たちが戦争期の詩人たちの責任を追及するということが可能になったわけです。けれども台湾の詩人たちは、いったんは日本の軍国主義から解放されるんだけど、ただちに国民党軍がはいってきて、その独裁に抵抗して決起した二万人三万人の人々が殺されたり(二・二八事件)、詩人たちも日本語での文学活動は禁止され、戦争中に日本語で詩を書いていたようなやつはけしからんみたいなことになって、弾圧されたり処刑されたりする。白色テロにさらされる。やがて国民党の政策も変わり、いま台湾の人たちはそういう状況からは自由になっているでしょうけど、こんどはまた、来るべき中国による支配に対して、怯えなければならなくなっているわけです。

するとと台湾の人たちにとって、日本語っていうのは何だったのか。支配者の言語だったのか解放の言語なのか抵抗の言語なのか抑圧の言語なのか。日本語で書かれた彼らのモダニズム詩とは何だったのか。その延長で彼らが入り込んで行った戦争詩とか戦争協力とは何だったのか。そういうことは日本の戦後詩人たちが日本の戦中詩人たちの戦争協力や戦争詩を問うのとは、まったく違う意味をもっているはずです。それは決して一義的な否定も肯定も寄せ付けない。逆に言えば、いったい日本の戦争詩だと言われているものが戦争詩だと言われるための、一義的で自明な視点がどこにあるんだろうか。つまりあんなばかばかしい詩を、知的であるはずのモダニストたちが書いてしまった、いったいどうしてそんなばかばかしいことが起こりえたんだろうかと、戦後の日本からなら言えますけれども、そういう一義性はいわば後知恵であって、渦中にあって当事者の視点から見たら、事態は別の様相を示していたはずです。戦争詩なのか、アジア解放の詩なのか、西欧支配に対する抵抗詩なのか。そのような詩としてそれはよいのか悪いのか。このことは決して自明な判断ではなかった。

たとえば鮎川信夫さんは、戦争末期、まず自分が生き残れるだろうとは思わなかった、と言っています。だがもし生き残れたとして、戦後日本がどうなるだろうかとぼんやり考えたとき、可能性は三つあった。米中ソの分割占領になるか、米ソの分割占領になるか、アメリカの単独占領になるか。つまり分割占領になる可能性はそのときかなりリアルであった。戦後になって鮎川さんが『辻詩集』と『死の灰詩集』は同じだって言ったのと、このことはつながっているのです。なぜならば、もし分割占領されたとすると、たぶん北海道はソ連領になったんじゃないか。あるいは東北までそうなったかもしれない。東西ドイツとおなじように東日本と西日本とは分割されていたかもしれない。もしそうだとすると、ソ連占領下の東日本では戦争詩はどうあつかわれただろうか。アメリカ占領下の西日本で『死の灰詩集』はどう扱われるだろうか。実際には戦後日本はかろうじてアメリカ単独占領になって、すくなくとも冷戦が深刻化するまでは、民主主義的な支配が行なわれた。文学者の戦争責任の問題は基本的にそのときに視点が据えられた。それが現在まで続いているわけです。だけど政治や軍事の現実過程から言えば、そうならなかった可能性もたいへん高い。すると分割占領下の戦後日本ではどうなっていたのか。

戦争詩の特徴として、たとえば天皇礼賛とか鬼畜米英とか反資本主義とか、いくつかの指標を考えることができますが、そのうちの二つくらいは、もしソ連の占領下であったら肯定されていたかもしれない。つまり鬼畜米英の部分に関しては、東日本では、これは正しいことを言っていたということになるかもしれない。反資本主義とかあるいは反リベラリズムとかの部分は肯定されているかもしれない。ひょっとすると北園克衛の戦争詩とか村野四郎の戦争詩とかは、あのテクストそのままで、米英帝国主義に対する抵抗詩だと評価されたということはありうるんじゃないか。じっさい戦後早い時期、日本共産党は反帝国主義の、つまりソ連寄りの再軍備を主張していたわけですからね。

郷土っていう主題についても同じことが言えて、郷土が定点としての意味を問われることになる前に、もしそんなふうに東日本と西日本というように分割されるというようなことがあるのならば、あなたの郷土っていうのはどっちなんですか、アメリカ占領地域なんですか、ソ連の占領地域なんですか、っていうことが問題になりうるんじゃないでしょうか。だから結局のところ、テクストそのものを対象とするかぎりでは、戦争詩という客観的なカテゴリーはないだろう。それは抵抗詩という客観的なカテゴリーがないというのと同じだ。解放詩っていうものもないだろう。つまり詩としていいか悪いかしか残らないんだ、という言い方をするしかなくなる。それはべつに純粋芸術の理念から芸術的価値に固執するからそうなるのではなくて、リアルな政治的過程をつきつめれば、そういう言い方しか残らないだろうと思うわけです。》

原爆投下

鶴見俊輔『戦時期日本の精神史』（一九八二年）から、戦後日本占領体制のなりたちをたどってみる。ただしここでは論旨に合うように祖述の順序を変えてあるので、読者は注意深く原文との相違をトレースしてほしい。

「原爆の犠牲者として」の章のはじめにハーバート・フェイズ『原爆と第二次世界大戦の終り』（一九六六）からの引用がある。《日本がすでにここまで消耗した状態を吟味したところによって、爆撃調査団は、一九四五年一二月三一日までに確実に、またおそらくは一九四五年一一月一日以前に、日本は原爆投下がなかったとしても、またさらにソビエト・ロシアが戦争に加わらなかったとしても、またさらに日本上陸作戦が計画されまた考慮されることがなかったとしても、日本は降伏したであろう、という見通しを立てた。》

この認識にもかかわらずフェイズ自身は、広島および長崎に原爆を投下するという決定は、非難さるべきでない、と述べている。なぜか。ソ連の参戦はじっさいには八月八日だったのだから、そのまま侵攻がすすめば、四五年の末までにソ連は日本のかなりの地域を占領することができたはずだ。ポツダム会談に際してスターリンは、日本占領にソビエト・ロシアも参加させてほしいと要求しており、米国から見てこの要求はきわめて危険なものだった。原爆投下はこの可能性を封じることができる、と米政府は考えたであろう。ソビエト・ロシア参戦の機先を制するようにして、アメリカは八月六日に広島に原爆を投下した。

七月一六日のトリニティでの原爆実験成功の報をうけたトルーマンは七月一八日チャーチルと会談する。そのときの彼らの心中について、チャーチルはのちに次のようにのべている。《私たちはもはやロシア人を必要としないであろう。日本に対する戦争を終わらせるために、ロシアの軍隊を注ぎ込む必要はもはやないのだ。私たちは、ロシア人の恩恵を受ける必要はない。二、三日おいてから私はイーデンにつぎのように知らせた。「現状において米国が対日戦争へのソビエト・ロシアの参加を望んでいないということは、まったくはっきりしている。」》（チャーチル『第二次世界大戦』第六巻）

広島・長崎に原爆を投下するという決定は非難さるべきでない、という先のフェイズの主張は表向き、神風特攻がはじまってからすでに数十隻の航空母艦数十隻の戦艦が撃沈・損傷されているという事実を指摘しながら、「原爆の使用により戦争の苦悩は最も早く終わり、多くの人命が助かったから」という理由を述べている。だが米政府の真意は、すくなくとも第一義的には、そこにはなかった。鶴見はアメリカの意図を次のように推定する――《米国指導者の価値意識を受け入れて、ソビエト・ロシアが入ってきて獲物の分け前にあずかろうとする以前にできるだけ早く戦争を終わらせるという目的のためには、原爆の使用は正当だ、ということになります》。

言うまでもなく、巨額な国費を投じた原爆開発を不使用のまま終わらせるわけにはいかない、という国内事情もあったにちがいない。だが広島・長崎への原爆投下の国際政治的な意味は、第一義的には、日本の戦後占領にソ連が参加するか否か、戦後日本が分割占領になるか否か、アメリカが戦後日本を単独占領できるか否かに、かかわっていた、ということである。

日本単独占領と東欧単独占領

戦後日本の占領体制のなりたちについて、ここからは鶴見の論旨をはなれ、セオドア・コーエン『日本占領革命』（一九八三年、大前正臣訳）より。GHQの高官であったコーエンの本には、原爆投下への言及はない。

トルーマンがマッカーサーを日本占領軍司令官に指名し、連合国がそれに合意した後も、ソ連はこの占領体制に対してさまざまな介入を試みた。まずマッカーサーの他に、もう一人の最高軍司令官（ワシレフスキー）を置くことを主張した。この主張を撤回せざるをえなくなると、次には北海道の分割を提案した。釧路と留萌を結ぶ線以北をソ連統治とする要求である。もしも年末まで日本が持ちこたえれば、ソ連の侵攻は進み、この領土要求はもっと大きなものになっただろう。だが現実には、ソ連参戦から一週間で日本は降伏したので、スターリンは、自らそう述べるとおり、要求をこの程度の「控えめ」なものにとどめざるをえなかった。もちろんトルーマンはただちにこの要求を拒絶する。拒絶の根拠は次のようなものである――すべての島嶼にかかわる日本の降伏を、マッカーサー元帥にまかせるというのがわれわれの取り決めである、と。

このメカニズムがわかるだろうか。つまりアメリカ政府は、日本占領にかかわるすべての権力を、「連合国軍」総司令官のマッカーサーに集中させることによって、他の連合国――イギリス、中国、とりわけソ連の政治的影響力を排除していった、ということである。こうして連合国ではなく、実質的にアメリカ単独による占領が実現した。

だが実際には、日本占領を単独でになうためには兵力が不足していた。アメリカ（トルーマン）はソ連・イギリス・中国にも占領軍派遣を要請し、この要請にはマッカーサーも合意した。イギリスはこれに応じて広島県に派兵する。中華民国も四国地方の管理を求められるはずだったが、内戦の激化のためそれどころではなくなった。ではソ連はどうしたか。

《マッカーサーはソ連軍の派遣を回避しようとはしなかったし、ソ連からも最高司令官を出すこと、ソ連の占領地域を設けること、管理委員会でソ連に拒否権をもたせることも阻止しなかった。それにもかかわらず、日本からソ連を締め出したのはマッカーサーの功績だとされている。ソ連の主張を拒否したのはハリマン、トルーマン、マーシャル、アチソン、バーンズおよびマックロイであり、またスターリンとモロトフ自身がソ連派遣を辞退したのである。……一方マッカーサーといえば、東京で共産主義に反対の立場を声高に公言していた。ソ連の北海道進出がなぜできなかったかについての噂が日本国中に広がったとき、マッカーサーが英雄になったのはしごく当然のことであった》——なんとソ連は、日本占領へのコミットメントを、自ら意図的に「辞退」した、というのである。

なぜそういうことになるのか。分割占領の可能性のあるドイツと違って、もともとその可能性が小さい日本に関して、むりやりにアメリカ主導の日本占領に参加する意思はソ連にはなかった。ソ連のモチーフは分割占領である。もしそれが不可能であれば、日本からは一切手を引き、すべてをアメリカに引き渡す。コーエンの理解によれば——そしてそれは正しいにちがいない——《これは暗に、そうなったらソ連もほかの地域でそれに対応して自由に振る舞うという脅しがこめられていた》。

ほかの地域というのはいうまでもなく東ヨーロッパであり東ドイツである。アメリカが日本を単独占領するのなら、ソ連もまた自らの占領地域で自由に振る舞わせてもらう、われわれはそのための政治的道義的な地歩をえた、と言いたいのだ。つまり、スターリンとソ連官僚の政治的想像力の中では、アメリカによる日本単独占領は、東ヨーロッパ東ドイツでのソ連の圧政に対して、見返りをあたえることになっていた。「戦後日本」は、つまりそんなふうに、スターリンによるヨーロッパ支配に連動していたわけである。

国民党軍上陸

（「日曜日の散歩者」より）――歓呼する（ように見える）人々。船から続々と降りてくるのは、国民党軍である……中国語で書かれた「台湾新生報」の見出し《五〇年来の奴隷、解放さる！》……林永修夫妻があわただしく蔵書手紙類を整理廃棄している……「台湾文芸」の表紙が映される。作者名はないが、次の詩が引用される。《その詩人は／名もなき詩人／光復のかげで泣く／歌はぬ詩人》……数人の捜査員が書きもの机のまわりを捜索している……楊熾昌は「二・二八事件号外」を発行したために「内乱罪」で逮捕。張良典も「内乱罪」で逮捕。……会話「読書会をはじめようと思う」「本屋には国民党軍がしかけた罠がいっぱいだよ」「北京語をまなばないと仕事も見つからないし」……中国語によるラジオニュース「わが軍にみちびかれて米艦入港」……「台湾文芸」などかつての日本語の雑誌がつぎつぎ竈で燃やされている。その炎を追う長いショット……報道「米は冷戦状況にかんがみて、台湾全面援助へと転換した」……李張瑞の「自白書」が、なめるように映される。共産党との接触を理由として懲役一五年の判決を受けるが、蔣介石はこれを破棄して死刑を命ずる。この判決書が家族に届く前に、李は公開銃殺された――との文字が出る……李のものと思われる最後の詩が引用される。《故郷にかける心の橋は灰色の虹／われ民族の火花と散るが　四十一／父母よ弟妹よ　健やかに／あわれ伴侶なき妻や子よ／木枯らしに強く耐え行けよ》。（引用は同映画字幕による）

占領状態

冒頭の矢野静明との対談のなかで引用した鮎川信夫の発言は、一九八三年六月一八日の音源からのものである。《ところがぼくは、この戦争は負ける、ということをもっとも早くから予測していた人間の一人なんですが、敗戦のあとどうなるかいうことについてはほとんど何も考えてなかった。それが最近になってくやしい（くやしいというとおかしいけれども）、不思議だな、と思ってることとです。どうしてそうなったかという理由は、ひとつにはそのとき死んでるかもしれないということ。死んでるかもしれないという仮定は、考える・想像するという熱意を半分くらい奪ってしまうものだから。もうひとつの理由は「占領」という形態をうまく想像することができなかったということ。つきつめて考えると、アメリカ単独、米ソによる分割、米中ソによる三分割――だいたいこの三つくらいの占領の可能性があったわけだけれども、そういうことすらまったく考えてなかった。これはいまから考えてほんとに不思議だなと思うことです。》

同趣旨の発言は一九七四年八月二一日におこなわれた磯田光一との対談「戦後思想の現在」（鮎川『自我と思想』所収）のなかにもある。（「鮎川さんご自身は、戦争中に、戦争が終わった状態のイメージはおありでしたか」という磯田の問いに答えて）《なかったですね。それは、だれもなかったんじゃないかとぼくは思いますね。というのは、日本がどういうかたちで占領されるのかわからなかったからですよね。たとえば、ヤルタ協定の内容だって、だれも知らないですよ。新聞にも出ないしね。会談があったってことはわかるけど、どういうことが協議され、どういうふうに戦後処理が考えられたかなんてことがわからないわけですよ。たとえば、日本が中国に占領された場合、アメリカに占領された場合、ソ連に占領された場合、または分割占領された場合……とあるわけでしょう。そのうちのどれかなんて全然わかんなかったですね。》

重要なのは鮎川にとって（そしてもちろん現実にそうなのだが）敗戦後の日本とは、無限定な解放などではなくて、（日本軍部による占領にかわる）あらたな「占領状態」であったということだ。それは、いくつかありえた可能性のなかから、結果としてアメリカによる単独占領、という形をとった。鮎川が反核運動（原水禁運動）についてははじめから冷淡であった理由は、その心情論理が戦中期日本の心情そのままの延長であったからばかりではない。彼らはアメリカの原爆実験や核兵器の保有を告発しているが、その告発を支えている基本的人権も民主主義も言論の自由も、冷戦が本格化する以前のアメリカによる単独占領状態のなかに源泉を得ているではないか、というのが鮎川の見方だった。

アメリカからの認識によれば、アメリカの単独占領を可能にしたのは原爆投下であり、戦後日本の民主主義もこれによってはじめて可能になった。アメリカからするこの認識を算入する場合、この問題が不可避的にはらむことになるパラドクスを、戦後日本の政治運動は決して論理化することがなく、「戦後日本」の内部からだけの視野を、あたかも普遍性のように自明化しているのである。だから原爆による死者たちもまた、明確な戦争犯罪被害者として、国際的・法的・公的にくっきりとした姿をあらわすことができず、いつまでも「抽象的な人間性」をあてにした宗教的な呪文のようなもののなかに埋め込まれている——鮎川の論理はそのようにすすむだろう。

戦争(の否定)そのものは絶対的な倫理の源泉でありうるかもしれない。だが戦後鮎川が問い責めた戦争詩の問題はそうではない。それを論じるためにはとても錯綜したコンテクストが要る。それは倫理的であるとともに政治的であり、メディア技術的であるとともに国際的(グローバルとは決して言うまい)であるような諸因子からなる混合した所産である。戦争は悪い→だから戦争詩は悪い→知的であるはずのモダニストたちがどうしてこんな蒙昧な詩を書いてしまったのか……というふうにすすむ、まじめな良い子たちのクラス討論のような議論は、善悪の規範からしても、啓蒙的知性と蒙昧の意味の規範からしても、「戦後日本」の内部以外では、絶対に成り立たないものである。あたかも「戦争詩」というものが、ひとつの自明性として存在するかのようではないか。単独占領→対米従属の連続によって不問に付され「戦後日本」の架空の遠近法に支えられた自明性が、そのまま普遍性に置き換えられて、戦争詩についての価値判断が無前提な倫理であるかのようにふるまっているのだ。戦争期以前から、いくつもの言語、いくつもの支配のもとで、それをかいくぐって生き続けてきた「日曜日の散歩者」たちの、リアルな場所・リアルな視線からみたら、容易にそのことがわかるだろう。

＊「台湾の日本語詩人たち」の部分は、矢野静明との対談「戦争とモダニズム——吉田一穂を中心に」(同

会・高橋秀明）における瀬尾の発言から、一部を抜粋したものである。この対談は、北海道立文学館で二〇一八年九月二二日から一一月一八日まで行なわれた「特別展　極の誘い　詩人吉田一穂展――あゝ麗はしい距離」の一環となるイベント「文芸対談Ⅰ」として、一〇月八日同文学館講堂で行なわれた。今回若干加筆がある。この対談の全文は、「座間草稿集4」（二〇一九年二月一〇日発行）に収録されている。

＊　鮎川信夫の一九八三年六月一八日の発言について。一九八三年から一九八四年にかけて、当時弓立社の宮下和夫氏の企画で、鮎川信夫・加藤典洋と私とでさまざまな主題をめぐって鼎談の形で議論した音源（カセット・テープ）が残されている。一回が四時間くらいで前後三回行なわれた。扱われた対象は磯田光一『戦後史の空間』、吉本隆明『「反核」異論』、ジョージ・オーウェル『一九八四年』、ソルジェニーツィン『収容所群島』、千石剛賢『父とは誰か、母とは誰か』などである。引用された箇所についての文責は瀬尾にある。

ユーラシア・アレンジメント　2022.8

ウクライナ／H・J・マッキンダー／ハートランド／ジョージ・オーウェル／エマニュエル・トッド／チャールズ・クローヴァー／ロマン・ヤーコブソン／ニコライ・トルベツコイ／レフ・グミリョフ／アンナ・アフマートワ／佐藤優／黒田喜夫／谷川雁／石原吉郎／アレクサンドル・ドゥーギン／カール・シュミット／乗松亨平

じつにきみのあしおとは昏いではないか
きみのせおつてゐる風景は苛酷ではないか

（吉本隆明「火の秋の物語——あるユウラシア人に」）

世界にただ一人の悪い人間が

あまりに単純で明快な世界像が私たちのまえに広がっている。世界にただ一つの悪い国があり、そこにただ一人の悪い人間がいるのだ。ふつうならこんな世界像があらわれただけで、それが病的なものであり虚偽であることがわかる。だが今回の場合はすこしちがう。こんな異様な世界像が、かぎりなく真実に近い。病的だとすればそれは世界の方なのだ。私たちがこれまで手にしている世界認識の方法から言えば、世界像が現在そのような単純な図像に行き着くことを避けることができない。また決して避けてはならないとわれわれの倫理が言っている。だから私たちはその判断に従い、そのように行動してよい。そのように行動すべきですらある。

だが、すこしその視線の方向を変えると、この明白で明断な世界像には「向こう側」があるのが見えてくる。あるいはこの明白さは、世界を海に見立てると、海をその海面によって見るように見ているからである。海には深さというものがあり、深海も海底もまた存在しているということがわかってくると、それはまたまったく別の景観に姿を変える。

あらわれてくる景観はまず不可解さにおおわれている。そしてこの不可解さに分節をあたえようとすると、そこに見知らぬ、数えきれないほどの諸勢力が蠢き、犇めいているのが見えてくる。それらの勢力は私たちの世界からのアナロジーを拒んでいる。どれ一つをとっても、私たちの見知らぬものである。それを数え上げ、了解可能な文脈の中に置くことができるだろうか。またそのうちの一つについてさえ、それを規定して見せる基軸や尺度になるものをもっているだろうか。私たちはいま、私たちの知っているあらゆる「世界」の光景が、あらゆる基準や尺度が、じつは「こちら側」のものでしかなかったのだ、と知らされているのである。

聖像破壊・境界外の地

紀元前三世紀ころまでそこは遊牧民スキタイの行き交う空間だった。のちに徐々にヘレニズムの影響圏内に、ローマ帝国の版図に入ってくる。東スラブ民族のルーシ人たちが、遊牧民たちを駆逐してこの一帯に定着するのは九世紀後半くらいだ。中心になったのがキエフを中心とするキエフ・ルーシである。西方カトリック教会、ハザール帝国のユダヤ教、ヴォルガ・ブルガール族のイスラムなどがこれに働きかけるが、そのなかからコンスタンチノープルを中心とするビザンツ帝国がとくに影響力を強め、九八八年にキエフ大公ヴォロディーミルが、東方教会ギリシャ正教の洗礼を受ける。

「ルーシ受洗」。これを契機に一帯は東方キリスト教の空間になる。一二世紀ころから後、この一帯はウクライナと呼ばれるようになる。それは「分かたれた土地」という意味で、上にあげたいくつかの周辺勢力から見て、そこが危険な「境界外の土地」であったことを語っている。この「域外の民」という自覚から軍事共同体コサックの伝統が生まれている。内側に何か一体性があるというよりも、「境界外」であることがその空間を、一体であるように見せているのだ。

この時期のビザンツ帝国が持つ意味は、一つは、西方カトリック教会のような「政教分離」の原則をとらず、皇帝を天上の全能の神の地上における代行者であると考える「政教一致」を原則としたという点。つまりそれは「人神宗教」なのだ。教区が政治的な国家権力ごとに区切られ、各教区の主教はその土地の政治権力者と一体化している。

ビザンツ帝国がもつもう一つの意味は、それがイスラムに対抗する最前線としての意味を持っていたということである。東方教会はイスラムからの「聖像破壊」の圧力を受けながら、イエスの人性を強調することでそれを持ちこたえている。イエスには人間としての性格が強いので「聖像」は許容される、という論理である。しかしイスラムからくるイコノクラスムの波立ちは、潜勢力としてながくこの一帯に埋め込まれていて、それがときおり不意に露出したりするような気がする。たとえばフルシチョフによるスターリンの偶像破壊のときなどに。

緩衝地帯の消失

ロシアとかウクライナとかいう空間についてまったく無知である私が、二〇二二年二月末くらいに漠然と考えたのは、ウクライナまでがＮＡＴＯに入ってしまっては、さすがにロシアも我慢できないだろう、という感想と、そうはいってもウクライナの住民は、自分たちの生活圏がロシアの支配下に入れられてしまってはたまらないだろう、という二つの感想だった。しばらくして事情がすこしわかってくると、同じことがつぎのような感想に変わった。

二〇一四年ロシアによるクリミア併合があった。つづくドンバス地方への侵攻が膠着状態に陥ったとき、独・仏・ウクライナ・ロシアの間でミンスク合意が結ばれた。さらに戦闘がつづくので、翌年二度目のミンスク合意が結ばれる。その結果ドネツク・ルガンスクに一定の親ロ派の基盤を確保したかたちでの停戦が実現した。これはあきらかにロシアにとって有利な条件だった。ロシアはウクライナ国内に権益と影響力を確保し、ＮＡＴＯ対ロシアの対立はこれ以後ウクライナの内政問題という外見をもつことになるからだ。国の半分がロシアの影響下にあって、機密がいくらでも向こう側につつぬけになるようなウクライナという国を、ＮＡＴＯは決してそのまま自分のなかに受け入れるわけにいかないだろう。ウクライナは、大統領選挙ごとに欧米派と親ロシア派がシーソーのように交替するような持続的な不安定状態に置かれるが、そのことは同時にウクライナが、そのあいだＮＡＴＯとロシアとの緩衝地帯として機能し続けるということを意味している。現在のウクライナ戦争においてロシア側が要求している条件の一部は、すでに満たされているのだ。

ところが今回のウクライナ戦争において、ロシアは、たとえば傀儡政権を打ち立てることによってであれ、ウクライナをまるごとロシアの影響下に入れようとした。あるいはその初期の意図が挫折してからは、クリミア・ドンバス地方をロシアに併合するか、ロシア支配下の地帯に変えてしまうことを戦略目標とすることになった。するとどういうことになるか。ドンバスだけを併合すれば、この地域とウクライナとの境界がＮＡＴＯとの直接の対峙線になることになる。かりにウクライナ全体をロシアの勢力下においてしまえば、ウクライナの西側の国境地帯がＮＡＴＯとロシアの直接の対決線になる。いずれのばあいでも緩衝地帯は消滅する。かりにロシアが直接支配できない部分のウクライナが残れば、その地域にＥＵとＮＡＴＯ加盟のためのフリーハンドを与えることになる。それがロシアにとって有利な条件であるはずがない。プーチンはなにをやろうとしているのかわからないという西側の専門家の困惑は、こういうところに発しているのだと思う。

交通空間・移動地帯

一〇年以上前、私は「満州」とヨーロッパの間にある空間とは何なのか、と考えて、次のようなことを書いた。（瀬尾［二〇〇九］——本書四二、四三ページを参照）。

《「東欧・以東」「ロシア・以東」とはなにか。世界地図の上から見るとそこには比較的大きな均質空間がひろがっているように見える。散在する国々は、俯瞰視線が可能にする視野から言えば国民国家化が不可能ではないほどの空間的な量（マス）を所有しているように見える。だがそれにもかかわらずここでは政治制度と市民社会の形成は不十分・不安定・流動的であり、ここに住む人々を突き動かしているのは占有されるべき空間の量であるよりもはるかに、民族・種族の内向する時間性である。だがこれらの住民たちにとって空間的な占有は、西欧国民国家の国民たちにとっての意味と同じではない。……それらはもともと空間的に占有されえない空間、本質的な交通空間であり、空間がそのまま時間へ、歴史性へと折れ曲がっているような空間なのだ。われわれのグローバルな「世界」像は、帝国主義時代以降の西欧の遠近法に従っているため、どうしてもこの空間のもつ特殊な意味をうまく言い当てることができない。》

この文章と同じ時期、あるイベントで、次のようなことを話した（瀬尾［二〇〇八］）。

《H・J・マッキンダーは伝統的な地政学（Geopolitik）を一九世紀イギリスで継承した人です。地政学は戦争をやるために必要なものですから伝統的に存在してきたのですが、当時マッキン

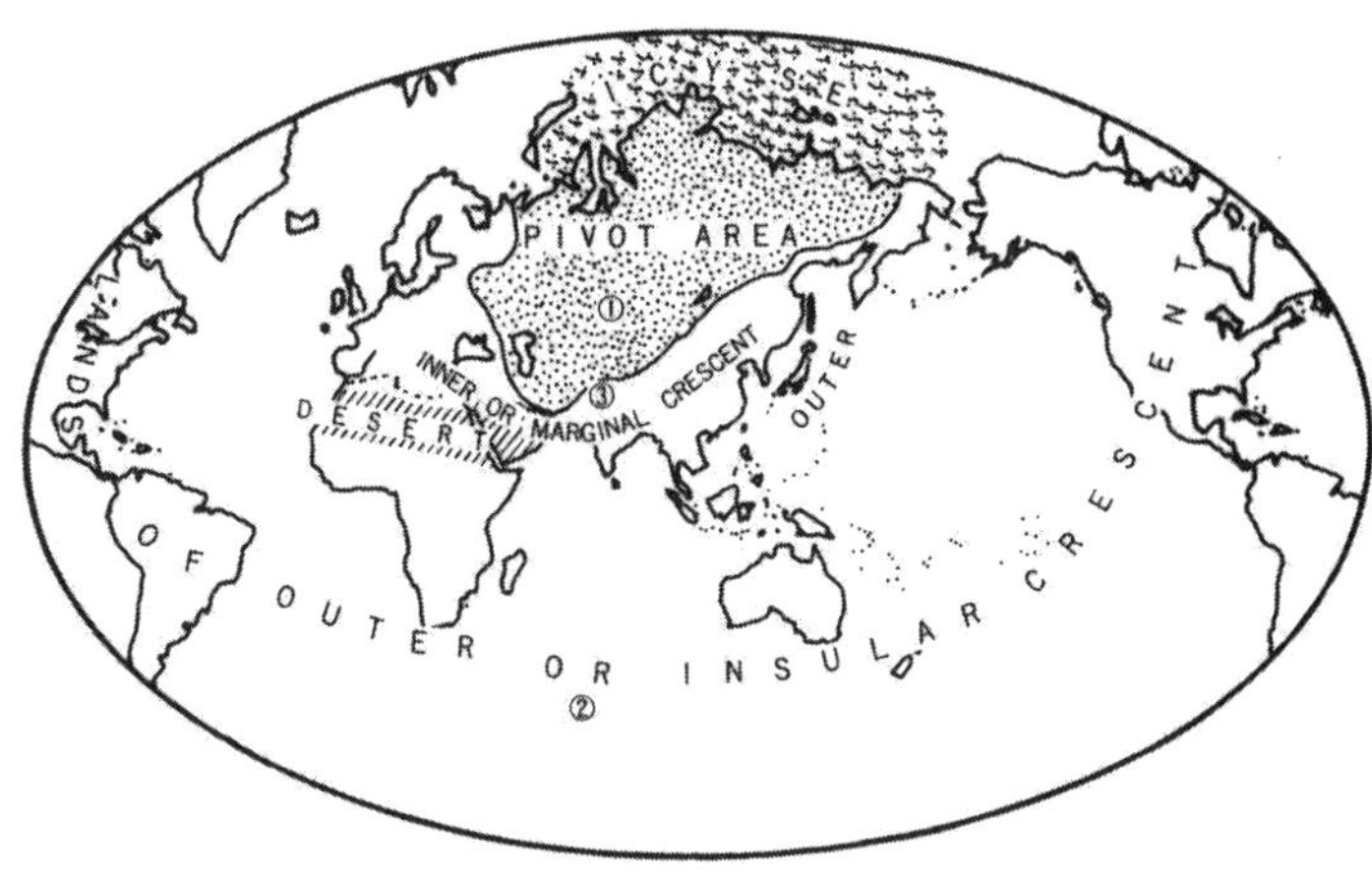

図1　回転軸の地域（マッキンダー『デモクラシーの理想と現実』より）

ダーの問題意識の中心にあったのは、それまで海洋帝国として世界を支配してきたイギリスが、いまあらたな敵に直面しつつある。その問題を地政学的に理論化しようということでした。図1は、伝統的な地政学でつねに参照されてきたというユーラシア大陸の地図です。その真ん中、中央アジアからシベリア、ロシアの北方部分にあたる地域が「PIVOT AREA」と記され「完全に大陸的な部分」と説明されています。この地域は、北方で海に面しているけれども、それはすべて氷結海であるため、まったく交通に使えない。海に出られないだけではなくて、南のほうをヒマラヤ、パミール、カラコルム、ヒンズークシ、それから東のほうをチベット高原、西のほうをイラン高原、ウラル山脈などで遮られて、外部との交通が困難な地域になっています。これが「回転軸の地域」と呼ばれる空間です。

一方この世界地図のいちばん外側、南北アメリカ

図２　ハートランド地勢図
（以下３点の図はマッキンダーの図に加筆）

からオーストラリアへとひろがる弧状空間が「完全に海洋的」な地域と呼ばれ、その中間の弧状部分が「なかば大陸的、なかば海洋的な内周の半月弧である」と説明されています。マッキンダーは伝統的に「PIVOT AREA」と呼ばれてきた地域を「ハートランド」と呼びます。それが図２ですが、北側が氷結した海で封鎖され、他の方向はウラル山脈、ヒンズークシ山脈、ヒマラヤ山脈、トランスバイカル山脈、チベット高原等々で囲まれた地域。それを取り囲むようにして、ユーラシアの西端の沿岸地帯（ヨーロッパ半島）、南と東のほうにはモンスーン沿岸地帯が広がっていることになります。定住農耕民の居住空間が、真ん中のハートランドを取り囲むように布置していることになります。

この図に帝国主義時代の諸列強の侵出経路を重ねて書き込んでみたのが図３です。イギリス、

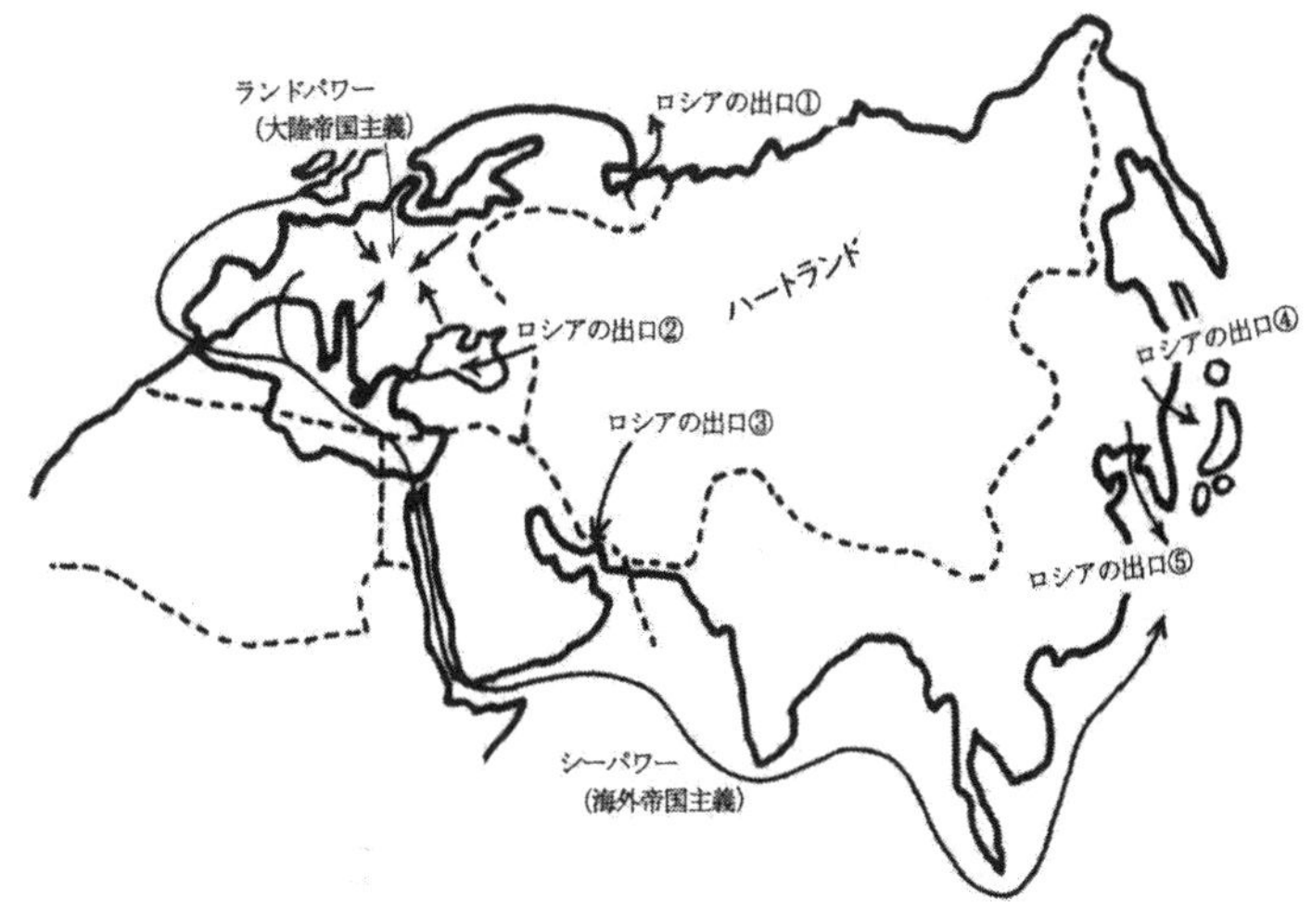

図３　帝国主義の展開

フランス、オランダなどヨーロッパの西端から出発した国々が、スエズ運河を通って――スエズ運河が使えない場合はアフリカ南端を通って――インド、東南アジア、東アジアへ展開し、おおむねモンスーン沿岸地帯に植民地を築いていきます。それに対し、ハートランドに影響力を持っているのはおおむねロシアですが、ロシアには外へ出てゆく道がないのです。かろうじて確保された出口をそこに書き込んでおきました。》

ロシアの出口

（引用続き）――《ロシアの出口①と書いてあるのはバルト海で、バルチック艦隊の根拠地となったところです。出口②は黒海です。これはグルジアやウクライナから黒海を通って地中海へ出る道筋です。出口③とあるのはアフガンです。アフガンの高原をまたいでアラビア海のほうへ出るコースです。いちばん東の端の出口④はウラジオストクです。ここには軍港が作られますけれども、一年の半分が氷結しますから半年だけの軍港ということになります。最後にそのすこし南、出口⑤とあるのが旅順と大連です。日清戦争の後、ロシアは日本と清との交渉に干渉して旅順と大連を租借しますが、これはロシアにとってきわめて大きな意味をもっていました。つまり一年を通して海へ出られる出口をここで確保したわけですね。ロシアはこのときはじめて、海外帝国主義の先進諸国と対等に戦える根拠地を得たことになります。

だがロシアは日露戦争のとき、旅順・大連の艦隊をまず壊滅させられてしまいます。日本海海戦は対馬沖で行なわれるわけですが、ロシア海軍主流であるバルチック艦隊はバルト海から来るわけです。ロシアの出口①から出て大西洋岸をまわり、アフリカの南端を通って東南アジアの各地に停泊し待機して、ようやく対馬へやって来る。消耗しきった状態で日本の海軍と戦って壊滅させられてしまうわけです。ロシアにとって海への出口の問題、そこからの距離の問題がいかに大きいかということを、こういうことがよく示していると思います。

マッキンダーの問題意識は、そんなふうにして海へ出てこようとしているロシアをどうやって押さえこむかという点にありました。ユーラシア西側にはドイツ、ロシア、大陸帝国主義が争っている中欧・東欧があり、それを取り囲むようにして海外帝国主義諸国のテリトリーが広がっているわけですけれども、これをどうやって維持し、大陸帝国主義のランドパワーの勢力、ハートランドの勢力を押さえこむか、というのがマッキンダーの一貫した問題意識だったわけです。

ドイツ・ロシアの勃興という現実の問題があったわけですが、そこには同時に、近代以前のヨーロッパの経験と記憶がありました。ヨーロッパ・ロシアの背後にあるハートランドが、それ自体には遊牧民、狩猟民族しかいない、だれも定着していない空間なのに、なぜそんなに恐れられていたのか。

図4にそれを書いておきましたが、まず四世紀から五世紀にかけての、フン族アッティラの遠征がありました。これはまずハンガリーに侵入してゲルマン民族と戦い、その一部であるアングロサクソンをブリテン島に追いやる。それからガリア、いまのフランスに侵入して、フランク人、ゴート人たちが一緒

図4　アッティラとジンギスカン／朝日新聞2008年8月9日
Ⓐ北京Ⓑチベット Ⓒウイグル Ⓓグルジア Ⓔフランス、イタリアのロマ人排除

になってそれと対抗せざるを得ない状況をつくる。これがフランスの基礎になったわけです。それからローマ、ミラノへ入ってローマ法王と対決する。これが現在のイタリアの起点となった。いまのヨーロッパ諸国の基本的な色分けが、これによって作られたことになります。》

オーウェル・一九八四年

恐ろしい力がハートランドから訪れてくる。アッティラはウイグルのあたりから来る、おそらくはタタール人であり、それ以降も八世紀シャルルマーニュと戦ったアヴァール人の騎馬軍団があり、九世紀にはゲルマン民族のテリトリーへのマジャール人の侵攻があった。一三世紀にはジンギス・カンの遠征があった。ジンギス・カンはモンゴルから出て西へ向かってヨーロッパに侵攻し、転じて東に向かって元の太祖になる。

のちに一九四八年ジョージ・オーウェルの『一九八四年』のユーラシアには、こうして描き出されるような地政的空間の記憶が引き継がれ、当時のソ連の像と重ねあわされてユーラシアと名づけられている。地球は三つの世界国家に分割されており、それらの名はユーラシア、オセアニア、イースタシアである。三つの国家は永続的な戦争状態にあるが、その戦争状態を維持するために、住民たちはそれぞれに完全なプロパガンダ社会、完全な監視社会に閉じ込められている。三つの極からなるディストピア——完結した世界模型である。

ここでのユーラシアは、この本が書かれた一九四八年当時のハートランドを中心とした内陸空間を意味している。物語の舞台は、それに対峙しているオセアニア国家の内部で展開する。オセアニアというのは、現在われわれがこの語にこめている太平洋島嶼空間という意味ではなく、アトランティックな環大西洋の空間——現在のNATO北大西洋条約機構が覆う空間を意味している。物語の舞台はロンドンである。戦闘状態にある二つの国家は、二〇世紀の帝国主義の二つのかたち——先進的な英米を中心とした「海外帝国主義」と、出遅れた独露を中心とする「大陸帝国主義」との対立を祖型としている。オーウェルは自らの労働党に対する失望体験から、オセアニアである空間に、ソ連型の社会を移動させてみせた。世界国家がいずれも互いの完全な鏡像になる、という未来の国際関係モデルを構成していることになる。

オーウェルはさらに忘れずに、第三のものをつけ加える。イースタシアというのは東アジア、つまり中国中心空間のことである。そしてさらに、その「周縁部」が存在することが、作中アフリカなどの地名によって暗示されている。世界を塗り分けるこの大きな見取り図は、それ以来八〇年近くがたって、いよいよ正確に世界の地政学を言い当てていることがわかる。

世界国家は三つである。三つの国家があれば、国家より上の権力の審級は存在しないので、AとBが同盟すれば必ずCは疎外される。BとCが同盟すれば必ずAは疎外される。逆にAとBが戦争をすれば、劣勢な方が必ずCと同盟する……という三項の力学によって、国家間は「安定した戦争関係」になる。これはディストピアではあるが、ディストピアであるままで永続しうる世界模型になっている。

近代の不在・宗教改革の不在

歴史の粗述にもどると、一三世紀にはキエフ・ルーシに、「ハートランド」からやってきたモンゴル帝国が侵入する。ギリシャ正教キエフ主教座は、モスクワに避難する。モンゴルが去ったあとウクライナに戻ったときには、モスクワとのつながりの強い「ウクライナ正教会モスクワ総主教座」という名前になっている。これとは別にコンスタンチノープルからの直接の影響下に「ウクライナ正教会キエフ総主教座」が再興されて、前者と並立するようになる。二つの別の正教会ができた。このほかに、一六世紀末以来ポーランドから流入していたカトリックが正教と習合した、東方典礼カトリック教会がある。

ウクライナはルネサンス・宗教改革・近代化の段階を通っていない。プロテスタントが存在せず、ローマ帝国の分裂をそのまま体現したカトリックとギリシャ正教が、国内で直接に境界を接している。そのかわり、一七世紀になると一種の疑似宗教改革が起こる。ロシアとウクライナの関係の親密化を背景にした儀式改革の動きが起こったとき、それに対抗する正教内原理主義の反発として、ラスコル＝分裂を主張する古儀式派（ラスコーリニキ）の運動が生じるのである。ロシア型の宗教改革は深く民族の、原初への回帰という色合いを持っている。ユーラシアニズムはこのあたりに淵源しているかもしれない。

一八世紀になるとポーランド南部に、ユダヤ教の原始回帰運動であるハシディズムが起こり、東ヨーロッパにその影響が広がる。エカテリーナⅡ世によってウクライナはロシア帝国支配下に入る。やがてピョートル大帝による欧化政策、近代化が始まるのが一九世紀半ば。日本の近代化のはじまりとほぼ同じ時期だ。

世界は一つになってはならない

世界が単一の世界国家になることはできないし、それを目指すこと自体が錯誤である——ということを、明白に私たちに示して見せたのは、戦後間もない時期のハナ・アーレントだった。カントの世界共和国の理念を引きついでいるかに見えるヤスパースを論じて彼女は、世界単一国家のようなものがもしできたら、それがいかなる国家であろうとも、無条件でそれは悪夢である、と述べていた。良い国家であろうと悪い国家であろうとにかかわらず、このことは国家がひとつであるということに、じかにかかわっているのだ。国家は本質的に多様である住民と向き合っているので、その国家がどのような内容を持つものであれ、それと違和的であり、そこに住むことが耐えられないと考える人々は、かならず一定数存在する。そのときその人たちにとって救済となるのは、この国家が国境によって区切られており、その国境を超えればその向こう側に別の国家が開けている、ということだ。国家が空間的に限定されており、国境の外に別の国家がひろがっていて、いざとなったらそこへ逃亡できるということが、国家というものを耐えがたくないものにする唯一の解法である。

ドイツのメルケル首相はプーチンについて「彼は別の世界に住んでいるようだ」と言ったそう

だ。「別の世界の住人」はどこにでもかならず存在する。人々と世界感覚を共有しない人間がいるのは当然なことだ。アーレントはそれを一つの国家の住民について言ったのだが、「別の世界の住人」が政治的指導者であることだって当然ありうる。彼は支配空間を亀裂させ、その一方に座を占める。それが核保有国の政治指導者である場合は、どういうことになるのか。国外へ逃亡するかわりに全世界を亀裂させ、その一方に座を占めるのではないか?

今回のプーチンのウクライナ侵攻は、戦後七〇年間私たちを支えてきた、そうとうにオプティミスティックな世界感覚の基盤を亀裂させ、がたがたにするようなものだった。その世界感覚というのは、たしかにこの世界はいまも手に負えないような大問題を多く抱えているわけだが、時とともに諸国家間にも徐々に公正な国際関係が作り出されてゆき、さまざまな価値観の相違はあっても、啓蒙はたしかに作用し、世界はより「妥当な」方向へ、つまり遠近法を共有するひとつの、共通の世界了解へと合流してゆくのではないか、というようなものだった。

ところがこうした世界感覚には根拠がないことが、とつぜんあきらかになった。それは世界史の一方の側面でしかなく、アーレントが予見したように、世界は単一の遠近法のなかには決して収納できないのだ。国際関係は核保有のバランスのもとでそれなりに安定した秩序に向かうように見えたのに、核保有国の一つがその核兵器の威力を背景にして決然とある軍事行動に出れば、国際社会はそれに対して、基本的には何もできない、ということが明白になったからだ。もはやだれも三〇年前のように、漠然とした希望を語ることはできない。できることは事後的な「制裁」だけなのだが、経済制裁ということが持ちうるのは本質的に懲罰的な効果だけであって、確信犯的な行動に対しては何もできない。世界はある境界線によって「こちら側」と「向こう側」に分かれていて、向こう側を消し去ることは決してできない。その向こう側にはすべてが転倒した世界がひろがっている、と考えるほうが現実に近いように思われた。

世界はいずれにしろ単純ではない

世界のどこかで悲惨が起こったら、その悪の元凶はつねにアメリカであり、今回も悪かったのは、アメリカ主導のもと東方への拡大を止めなかったＮＡＴＯのほうだ、冷戦体制の崩壊以後、敵をなくして無用なものとなったＮＡＴＯが、自らの存在を意味あらしめるために、シリア内戦以降、あらたに捏造した「外敵」こそがロシアなのだ――こういう見方は、現在の世界のパワーバランスが、軍事的・経済的のみならず倫理的な意味でも欧米を多数派として動いているかぎり、かならず「そう言って言えないことはない」程度に信憑性のある裏読みとして、繰り返し登場してくる。その傍証もいくつかはすぐにあげられるだろうし、またそれは、第二次世界大戦の敗戦以後、かわることのない対米従属と、それに見合った反米感情をアイデンティティとしてきた日本戦後ナショナリズムにも、一定の心の落としどころを与えるにちがいない。

読み始める前に結論がわかっているこのような議論とは別に、この新しい事態に独立した視角を対置できる論者は多くはない。エマニュエル・トッドは人口動態ということを基軸にして、現在の世界を、もっとも冷静に客観的に語れる論者の一人だ。トッドはまた、自らの基本姿勢を共有する論者として、アメリカの国際政治学者ジョン・ミアシャイマーの名をあげている。トッドの見方は、その帰結として「したがって日本は核武装をしたほうがよい」という結論部を持つため、日本戦後の左派ナショナリズムの取り上げるところにならない。ミアシャイマーが好まれるのは、この部分の考えの違いによるのかもしれないが、ここでは言及しない。

このかん私が手に取ったもののうち、チャールズ・クローヴァーの『ユーラシアニズム——ロシア新ナショナリズムの台頭』（原著、越智道雄による訳書ともに二〇一六）はもっとも衝撃的なものだった。書かれている膨大な事実の積み重ねが、しばらくの間、私に取り憑いて離れなかった。この分厚い本のなかで繰り広げられているのは、一言でいうと、世界はおまえが考えるほど単純にはできていない、ということだった。「世界」は、国際社会の理性と国家エゴイズムの対立からできているのでもないし、抑圧的な国家権力と開明的なリベラルな個人との対立からできているのでもないし、有無を言わせぬ資本主義のグローバリズムと民族の固有性との対立からできているのでもない。またあらゆる種類の共同的な思考とたとえば文学のような個体の無限に自由な内面との対立からできているのでもない。それはまた、スターリン主義と反スターリン主義の対立でできているのでもないのだ。

クローヴァーの本は、世界の、この「単純でなさ」——とりわけロシアにおける底なしの「単純でなさ」を、徹底的に描き出すドキュメントだ。私たちが日本からみるときの開明と未開、洗練と蒙昧からなる世界の単純さは、たとえばそこにスターリニズム・反スターリニズムというような関数を入れることで、ようやくいくぶんか複雑さに耐えうるものになるが、この感覚もいまや後続の世代に共有されないものになっている。だがロシアにおいては、このスターリニズム・反スターリニズムそのものが、他のさまざまな対立項とともにいまも生きており、さらにそれぞれが幾重にも屈折し、乱反射しているのである。その混沌は、西欧の哲学的・思想的な区分によってよりも、諸民族や宗教・宗派の消長によるほうが正確に記述できる。

ユーラシアン・原スラブ語

クローヴァー『ユーラシアニズム』は、ヤーコブソン、トルベツコイを中心とする言語学サークルの記述から始まる。帝政末期の文化の爛熟期「銀の時代」、フレーブニコフらのザーウミ(超意味言語)、ブロークらの象徴主義、アクメイストらの交友圏にあって、二人は親しい友人である。トルベツコイは由緒あるロシア貴族の末裔で、一九一七年、カフカス滞在中にロシア革命が勃発、以来モスクワに帰れなくなった。やがて彼は流謫を続けながら、一三世紀ロシア・ウクライナ・ベラルーシの言語の構造的な分化を研究するスラブ語学者となり、自らの起源を東方に由来すると考える、ロシア＝アジアのつながりを強調する民族言語学思想の嚆矢となった。当時の中欧・東欧は、オーストリア＝ハンガリー、ロシア、オスマンの三つの帝国が崩壊して、諸民族国家へと再編されてゆく過程にはいったところだ。ところがそのときにロシアでは、人々の情動が、西欧の啓蒙主義・進歩主義・普遍主義の流れとはまったく逆の動きを示す。反ヨーロッパ中心主義であり、反ローマ＝ゲルマン文明主義であり、そしてその対局にユーラシアという空間を見出すことになる。ヤーコブソンは「ユーラシア言語同盟」を、トルベツコイは「ユーラシア文化集合体」を語っていた。ロシア人はヨーロッパ人でもアジア人でもない、ユーラシアンである、というのだ。

ロシア革命当時のボルシェビキは、臨時政権を打ち立てるにあたって立憲民主党（カデット）社会革命党（エスエル）などのリベラルな勢力を排除している。つまり当初からボルシェビキの「過剰な（過激な）部分」は、反西欧・反リベラリズムによって成り立っていた。レーニンのなかにすでにそれはあり、西欧的でコスモポリタン的なトロツキーを排除して、やがてスターリンによる世界大のロシア・ナショナリズムに集約されてゆく。スターリニズムは、もともとボルシェビズムのなかにあったナショナルな面、ユーラシア的な面が前景化されたものである。その場合スターリニズムは、アジア的・農耕共同体的なもののほかに、モンゴル的なもの、遊牧民・狩猟民的なものを含んでいる。つまりユーラシア的であったのだ。

トルベツコイとヤーコブソンは、ユーラシア運動の中心人物サヴィツキーらを加えて「プラハ言語学サークル」を形作る。諸言語が分化し、混交し、合流する空間としてのユーラシアを構想する。一九二二、二三年ころから、ユーラシアニズムは政治化しはじめる。それは秘密警察の監視を受けるようになり、やがて対独戦争に向かって急速に右旋回するスターリンのナショナル・

ボルシェビズムに、なかば強制的に合流させられる。「プラハ言語学サークル」は分解し、トルベッコイ自身は運動を抜けるが、そのときになって、自分が言語学として構想し実践してきたことが、じつはスターリンの内面的な道筋にそのまま重なっていたことを知って、愕然とするのである。

木の背後に森を見る

クローヴァーの本から離れて、トルベッコイの『音韻論の原理』（原著一九五八、長嶋善郎訳、岩波書店一九八〇）を見ると、そこには補遺として「N・S・Trubetzkoy の自伝的覚書」と題されたヤーコブソンの報告が付されている。多くの私的書簡を引用しながらヤーコブソンが記すところによると、トルベッコイがたえまなく書き継いでいるのは『スラブ諸語の先史』という、来るべき一冊の書物である。この本はなかなか完成しない。この本の公刊は遅らせれば遅らせるほど良い、こういう種類のものはゆっくりと熟するのでなければならない、というのが著者トルベッコイの意見なのだ。ロシア革命後の流謫の生活の中で、彼の中心イデーの周辺に蝟集してくるさまざまな主題がある――ヨーロッパとスラブの文化史、スラブ諸語とコーカサス諸語との比較、古代ロシアの文学、諸言語の音韻体系の分析、とりわけソシュールを参照しながら、音の音声学的性質と、体系のなかで音が果たす役割との峻別、いわゆる「音素」の問題……などである。これらのいくつもの主題の間をさまよいながら、彼は「木の背後に森を見ようと努めている」――

とヤーコブソンは言う。その森とは何だったのかを、一九二〇年にトルベツコイがブルガリアで出版した一冊の文化史の本が暗示している。それは「ナショナリズムの正当化 Rechtfertigung des Nationalismus」と題された三部作の第一部をなすもので、当初「自己中心性について Von der Egozentrizität」と題されていた。つまりスラブのナショナリズムこそが、ヨーロッパに対して正当化されるべき自己中心性の核であると考えられていた。その本はのちに「ヨーロッパと人類 Europa und die Menschheit」と改題され、この自己中心性をヨーロッパに対抗させようとしている。ロシア革命の進行とともに、どのような情熱が彼をとらえていたかをこのことが物語っている。

ナチスから追尾される数年ののち、彼は一九三八年に没している。ヤーコブソンはアメリカへ亡命。サヴィツキーはプラハにとどまる。サヴィツキーは一九四四年ソ連政府によって逮捕され、ルビヤンカ、モルトヴィアなど一〇年の収容所生活ののち、フルシチョフのスターリン批判によって解放された。そして、このことが重要なのだが、その以前も以後も「ソ連邦への愛国者」であり続けた。

無限定な自由は専制に行き着く

アーレントが『革命について』で述べるように、ロシア革命はそのプロセスにおいて、フランス革命を忠実に反復している。「解放 liberation」の運動は、「反逆 revolt」の段階のまま、無限定な自由をどこまでも求め続けていると、かならず専制へと反転する。フランス革命がナポレオン・ボナパルトに反転したように、ロシア革命もまた、永続革命的な自由の理念そのものによってレーニン・スターリン主義へ反転する。暴政に陥る前にそれを叩き潰し、一定の段階で「自由freedom の創設」へと、向きを変えさせなければならない。

だがボルシェビキはそうするためにはあまりに過剰な、過激なものを抱えすぎている。過剰なものは「東から」来たのである。ロシア革命の過程は、欧化リベラル、ロシア・ナショナリズム、帝政復活をもくろむ白軍的な要素、アナーキスティックな農民反乱の要素、反ユダヤ主義的な要素などが入り乱れて展開するが、ボルシェビキは早い時期に立憲民主党、社会革命党などのリベラル派を追い出してしまっている。すでにそれ自身の過激な部分に、反リベラルなもの、暗い民族的な単一性へ、容易に反転する契機を詰め込んでいたのである。一九三〇年代独裁を達成後、スターリンに急速なロシア愛国主義への転回がおこる。

ウクライナとの関係も急速に変化する。ウクライナにはウクライナ自治独立正教会が生まれていたが、スターリンはこれを赤軍によって軍事的に解体し、ロシア正教会へ統合する。二八年からはじまる五カ年計画によって、農業の資本主義化・集団化・計画化が進む。二〇年代、三〇年代、四〇年代の三次にわたって、党の輸出中心主義のために収穫のすべてを奪い去られたウクライナを、伝染病と大飢饉が襲い、数百万単位の死者（三〇〇万とも六五〇万とも一千万以上ともいわれる）をもたらした。この悲劇は、誤謬によるソ連計画経済の悲劇なのか、あるいはスターリンあるいはロシアによる、意図的なウクライナ人に対するジェノサイドなのかもしれない。

そういう現実があったからだろう、第二次世界大戦中にドイツがソ連に侵攻したとき、ウクライナ民族主義者は独立のために、ドイツ軍と連携しようとした事実がある。また独ソ戦中にはクリミア・タタールがドイツ軍に加担したというのも事実である。ウクライナの反ロシア派はネオナチだという、ことあるごとに持ち出されるプロパガンダも、こういうところに淵源している。そういう形勢のなかで、ドイツのアインザッツグルッペ（作戦部隊）は、バービイヤールで三万三七七一人のユダヤ人を処刑した。ウクライナでの大戦中のドイツ軍によるユダヤ人殺害の犠牲者は一四〇－一五〇万人。大戦中のウクライナ全体の死者は一〇〇〇万人である。だがこれらがどの国の、どの勢力の、どの民族に対する殺戮であることになるのか、私たちははっきり言うことができない。

受苦的激情・パッシオナールノスチ

世界は一義的ではない。一人の人間もそうだ。ふたたび『ユーラシアニズム』に戻ると、クローヴァーが次に取り上げるのは歴史家レフ・グミリョフである。彼はボルシェビキによって銃殺された抵抗の英雄、詩人のニコライ・グミリョフと、国民的な詩人アンナ・アフマートワとの間に、一九一二年に生まれた。幼少時からパステルナーク、マンデリシュタームらとの交流があった。生長して、フン族、匈奴、テュルク族、モンゴル族などステップ諸族の研究者となる。

一九三〇年代の大粛清の時代には労働収容所に送られて、北ロシア白海運河掘削の刑期十年の重労働に従う。なぜそんなことになったのか。半分は反スターリニズムの殉教者である父の威光を封じるための、半分は母の、詩人としての抵抗を封じるための「人質」としてである、と彼自身が語っている。刑期を減じられたあとも、さらにのぞんでツンドラ地帯のニッケル鉱山で働く。五年の刑期を終えてからもなお志願して兵役に服する。自らを抑圧した国家のためにすすんで奉仕しているのだ。やがてまったく別人のようになってアフマートワのもとに帰ってきた。

　この刑期の間、自分の足に斧を打ち込むという自傷行為があった。そのあとに続く霊感状態のなかで、彼は「パッシオナールノスチ」の直観にいたる。「パッシオナールノスチ」というのは、たとえばハートランドのステップ地帯に、突然あらわれてヨーロッパに押し寄せ、世界を征服したのちに、また忽然として消え去る騎馬民族たち――フン族、モンゴル族たちを内部から支配したような未知の力のことである。それはことによると、いま自分を閉じ込めている「もっとも合理的な哲学が最も非合理な人間行動を生み出す」このスターリン主義の権力を駆動している力でもあるかもしれない。それはまたヒトラーが演説の中で、ドイツ人に求められる情動として「ファナティズム」を称揚していたことを思い起こさせる。そして八〇年後、このグミリョフの「パッシオナールノスチ」は、二〇一二年のプーチン演説のなかで、いまこそロシア人に求められている情熱――をさす言葉として引用されるのである。

　グミリョフの「パッシオナールノスチ」については、佐藤優『甦る怪物(リヴィアタン)』（二〇〇九年）のなかに次のような見事な解説がある。全体は「エトノス」の説明になっているが、エトノスとはロシア・ナショナリズムの理解に不可欠な、一つの人種・民族の「核」となる情動を指す概念である。《エトノスを、グミリョフは、社会的カテゴリーではなく、生物学的カテゴリーでとらえるべきだとする。エトノスが生まれる背景には、激情（パッシオネールノスチ）があるとグミリョフは考える。「パッシオネールノスチ」とは日常的には用いられないグミリョフの造語だ。（改行）宇宙のエネルギーはときどき変化する。例えば、太陽の黒点の変動である。宇宙のエネルギーの変化にともなって地球の生態系にも変化が生じる。そして、大きな変化が生じた地域の人々は、何となくそわそわしてくる。人間集団に特別のエネルギーが蓄えられ始めたからだ。これがエトノスを形成するための必要条件である》。

「パッシオ」という語頭からして、おそらく受動態、受苦性に重点のある語なのだろう。それはエトノスを駆動する力であり、エトノスは「民族」概念と「人種」概念との中間の——生物学的あるいは惑星的な概念であって、「宇宙」と直結して人々を動かす力である。私たちは通常「世界情勢」を国家単位で考えたり、その中での民衆の動向や、個人の思想を起点として考えたりするが、「世界情勢」はほんとうはもっと遠いところから来る。宇宙や惑星からの力を受けて動き始めるパッシオナールノスチが、さまざまなエトノスの交替を支配している、というのである。

自らを抑圧するものこそを愛する

クローヴァーの祖述にもどると、対独戦争中のスターリンの急激な右旋回、ナショナリズム化、愛国主義化の時期、母アフマートワは作家同盟の理事として復権する。だが一九四四年には、彼女のあまりの国民的人気に嫉妬したスターリンによって再び失脚。グミリョフ自身もテュルク族の政治史についての論文執筆ののち、一九四九年再逮捕され、カラガンダ、カザフスタンの炭田に送られる。執筆が禁止されているなかで彼は、かつて遊牧民たちがそうしたように「頭の中に書く」。あるいは食料品袋の切れ端などに草稿を書きためる。このとき彼が書いていたのは、匈奴史であり、フン族の歴史であり、古代ステップ民族の全史、つまりパッショナールノスチの歴史である。

母アフマートワは「すじをまげて」スターリン讃歌を書き、ソ連作家会議代議員としてふたたび復権する。もともとグミリョフとアフマートワとの間には濃厚な母子関係があったが、前の刑期のころからこの関係に決定的な亀裂がはいっている。

レフ・グミリョフは、一九五六年フルシチョフのスターリン批判によって解放。トルベツコイの仲間でもあったサヴィツキーの協力で研究を再開するが、このころから研究が明らかな「反西欧的な」傾向、ユーラシアニズム的な傾向をおびるようになる。つまりスターリン体制によってもっとも苛酷な運命を強いられた人間が、スターリンがあらわにしたのと同じ思想傾向をおびるようになる。トルベツコイが、自分の中に支配している衝動がスターリンのなかにあったと同じものであることに気づいて愕然とする、というときにも、サヴィツキーが最後まで愛国者として生きたというときにも、同じ心理規制がはたらいている。スターリンによってもっとも苛酷な運命を強いられた者が、スターリンを愛するようになる、ということなのだ。

のちブレジネフの時代になって、共産党はあたらしい権力基盤をもとめてリベラリズムかナショナリズムかの選択を迫られ、後者を選ぶ。ここにロシア党というべき勢力が生じ、この勢力にグミリョフの遊牧民論が受け入れられるようになった。彼は晩年にいたるまで「ユーラシア国家」論者として生き、ソ連の崩壊を決して喜ばなかった。それはある意味で彼の夢の国だったのだ。

ふたたび佐藤優によれば《ソ連政権からいくら痛めつけられても、亡命を考えず、ひたすら現実に存在するロシア国家のために尽くす。第二次世界大戦中にグミリョフが志願兵になったことは、文字通り祖国のために命を捨てる準備があったということだ。このようなグミリョフの倫理観は、左右を問わず、広範なロシア人から支持された》。

ストックホルム・シンドローム

ソ連市民は、自らの欲望を満たしてくれるような権力を求めているわけではなくて、むしろ自らの欲望を徹底的にたたきのめし、無力化するような権力を没我的に愛するのではないだろうか。クローヴァーはいくつかの個所で、人間のこのような性向を「ストックホルム・シンドローム」

という名前で呼んでいる。この語は、もともと一九七〇年代ストックホルムでの銀行強盗事件に由来しており、拉致され、あるいは人質にされた被害者が、その犯人に対して好意ないし愛を抱くようになる現象を指すが、この本のなかで私たちはしばしば強制収容所とその被収容者のあいだで同じことが起こるのを見る。自らを権力の恣意と強制にさらした人ほど、その権力を熱烈に愛するようになる——という逆説が存在する。このクローヴァーの命名が妥当なものかどうか、私にはわからない。西欧的な知性は、自分たちにとってよくわからない心性を、まとめて「病名」化して理解する傾向があるが——これはそのような意味での、近代の「医学」的視線なのかもしれない。

だがこの奇妙な心理規制には、私たちもたしかに見覚えがある。日本戦後詩人たちの劇の中にも、同じことが反復されているからだ。自分たちこそがスターリン主義ともっとも苛酷に戦ったものたちだ、とのべて、反スターリン主義を掲げながら、むしろスターリン主義への愛を語るかのように見えた黒田喜夫がある。革命の力学をつきつめて農本主義的な情動や毛沢東崇拝のなかにそれを見出した谷川雁がいる。スターリン主義は、きみたち反スタ主義者が言うほど、底の浅いものではないんだよ、と彼らは言っているのだ。また一九五五年にシベリア・ラーゲリから帰還した石原吉郎の「告発せず」という態度もそれに似ている。石原の内面の転回の劇について、私は次のように書いたことがある。

《スターリン主義によってもっとも苛酷な体験を強いられた者が、それゆえにスターリン主義への、他のなにものよりも深い愛にとらえられるのである。その例はおそらく石原や黒田だけではない。反スターリン主義がスターリン主義に転化するというのは党派の政治力学がもたらす必然である以前に、なによりもまず、スターリン主義の鋼鉄のような「正しさ」によって自らの実存が鮮明に縁取られるのを体験した者が、スターリン主義の否定性の美、否定性の快感に心から納得させられることによって起こるのである。》(「人間の美しい収容所——石原吉郎小論」一九九六、『あたらしい手の種族』所収)

病名として扱われていることが、ある意味で人間の本質に向かっての入口になることもあるにちがいない。欲望的に生きる、ということは人間にとってそんなによろこばしいことではない。欲望はむしろ、ある意味で抑圧こそをのぞんでいるのかもしれない。恐ろしいのはむしろ混沌や不条理のほうだ。人間にとって生きることの一義的な意味は、むしろ自らの欲望の多型的な地獄から身を守ることだ、といったほうがよいのではないか? 人間の本質の中に、取り去ることのできない「倒錯」が含まれているのではないか?

ゲラッセンハイト・フェアラッセンハイト

第二次世界大戦末期クリミア半島で行なわれたヤルタ会談では、ポーランド東部をソ連へ編入するとともに、かわりにドイツ東部の方向へ、つまり「西」へ向かって、ポーランドを移動させる案が決定される。戦後にはソ連内各共和国に外交権が与えられ、ウクライナは「ウクライナ・

ソビエト社会主義共和国」として国連に議席を得る。一九五三年スターリンの死。一九五四年には、ウクライナで自らのキャリアを築いたフルシチョフが、クリミア半島をウクライナへ移譲する。一九五六年ソ連共産党第二〇回大会におけるスターリン批判以後は、ウクライナ化（ウクライナの自立化）がすすむ。だがこれはウクライナが解放されたということなのだろうか？　いずれにせよそれは長続きしない。ウクライナ化はブレジネフの時代にふたたび停止され、ロシア化に転換する。これはこの欲望の解放が、ふたたび抑圧された、ということなのだろうか？

ところでスターリン批判の前年一九五五年という年は、ハイデガーが核時代に対峙する人間の態度を語った講演のなかで、ゲラッセンハイト Gelassenheit（「放下」などと訳される）という語を人々の前に持ち出した年だ。同じ年、ハナ・アーレントの『全体主義の起源』第三巻のドイツ語版が刊行されている。その最終章「イデオロギーとテロル」のなかで、全体主義をもたらす社会状態をしめすキーワードとして反復されるのが、人々のフェアラッセンハイト Verlassenheit（見捨てられているということ）である。同じ年にあらわれたこの二つの語の親近性は、偶然だとは思えない。

この二つの言葉はいずれも人間の根なし性を言い表している。アーレントは述べている――人は「孤独」であるとき、自分自身と向き合っているのだが、「見捨てられている」とき、なにものにも向き合っていない。存在そのものが「見捨てられている」のだ。どこに見捨てられているのかを、人は言うことができない。そのとき人間の根なし性そのものが、フィクショナルな大地を求める。そこに全体主義という「大地」がやってくるのだ。

いっぽうハイデガーのゲラッセンハイトは、もとは「冷静」をしめす中世神学の用語であり、言葉の成り立ちから言えば「ゆだねられているということ」である。「事物への放下」というのは事物へと身をゆだねられている、事物のほうに向かって自らの身をゆだねている、ということである。根なし性は、技術的思考（計算的思考・計量的思考）が人間の思考の土着性を決定的に損傷するところに生じる。それは一七世紀（デカルト）以来、ヨーロッパで進行した、表象秩序の全体としての布置の変容によってもたらされたものだ。主体だけが絶対確実なものとして中心に立てられると、すべての存在者は主体に対する客体（対象物）という性格をおびる。主体が客体を、不断に「像」として獲得していく過程が始まる。ヨーロッパ近代をつらぬく主・客問題のはじまりである。

存在を客体に変え、客体を像として獲得し操作するしかたが「技術」であり、そこではたらいているのは計量的・計算的思考である。「対象」は数値化され、数量化されて、獲得され、動員される。二〇世紀二〇年代末のソ連以降、技術的思考は国家による「計画経済」の形をとって、重工業だけでなく、農業までも計量性・計算性の支配のもとに置く。自然力で生成するものが、計算され計画されるべきものに変えられるのだ。人間の思考に対しても同じ規準が適用される。思考は、存在を「真理」として開くはずのものだが、計算的・計量的思考は「真理」を、操作可能な「像」に変え、「情報」に変え、計量性・計算性にゆだねる作業に変わっている。ハイデガーのゲラッセンハイトは、技術こそが、私たちが身をゆだねるべきあらたな大地である——と語るかのようだ。

「真理」が、「情報」や「プロパガンダ」におきかわり、「影響」が「効果」に置き換わり、それらは計量性・計算性にのっとって操作可能なものになる。レーニンの哲学が、真理を「客観的真理」という名で呼んだとき、じつのところそれは「党派的真理」に置き換わったのであり、操作可能なものになったのだ。ついでスターリンが「客観的真理＝党派的真理」を最大限に操作し駆使して見せる。戦後世界は、それをいっそう技術的に、電算的に洗練してゆく時間だ。やがてポスト・モダン期の西欧において、それは「真理の一義性」だけでなく「真理概念そのもの」を消滅させてしまう。「真理」は技術によって、メディアによって操作可能なものになる。この過程がポスト・トゥルースの時代（つまり現代）にまで、直線的につながっている。

戦争を凍土の量で測る

動画で見るウクライナでの戦闘は、二一世紀の戦争ではなくて、二〇世紀はじめの戦争、場面によっては一九世紀末の戦争なのではないか、という印象を与える。第一次世界大戦よりもっと前、普仏戦争の戦場を見ているような気がすることもある。そういう「古い」戦争——「古い」がゆえにいっそう残虐である戦争が行なわれることを、「核」が背後から守ってくれている。戦争は、隣国との近親的な関係のなかで、かぎりなく大地に内攻するようにして、行なわれている。

地政学は、戦争に現実の戦術をあたえるためのものであると同時に、戦争を「土の塊り」によって表象できるようなものにする。流される血や死者の数によって量れるものにするのだ。自分たちにはユーラシアという膨大な「土塊」が味方についている。このことによって地政学は、世界普遍主義の理念、啓蒙主義の理念に対抗している。

土の塊りや雪や凍土の塊りの中で、血や肉にまみれた大地の上で戦われているエルンスト・ユンガー的な戦争である。西欧の普遍主義・啓蒙主義などは海洋国家お得意の、洗練された理念であるにすぎない。われわれは陸地の「土の塊り」によって、それらに対抗する。マッキンダーが「ハートランド」を語ったように、カール・シュミットが「陸と海」について語ったように、ナチス農相ダレが「血と土」を語ったように、ハウスホーファーが「大東亜共栄圏」を語ったように、それよりもっと深い「大地の幻」がトルベツコイを、グミリョフをとらえたように、それは傷を負った者の、まだ血が流れ続けている傷口を秘めた戦争の像である。それはかつて啓蒙主義的な合理的な戦争概念を嫌ったと同様に、いまはグローバリズムの世界均質性を嫌っている。世界は一つになってはならない。アトランティシズムとユーラシアニズムとが対立しあい、第三項としてイースタシアが加わるような「分割世界」こそが求められている。世界を普遍主義・啓蒙主義的なリアリティと地政学的なリアリティとに分割すること。究極的には、リアリティそのものを分割して、彼らにとっての「こちら側（東側）」では、この膨大な「土の塊り」以外に、真理などどこにも存在しないようにすること——真理を「向こう側」と「こちら側」とで根こそぎ別のものにすることなのだ。

ウクライナ戦争の直接的な暴力性を目の前にして、日本戦後ナショナリズムは分解を強いられているように見える。反米・反軍備・反核ということを支えてきた「外交努力」という理念が持つ普遍主義・啓蒙主義そのものが、この根源的な世界分割を前に根拠を失い、非現実的であることが明確になったからだ。非核を貫くかぎりでは日米同盟をいっそう強化するか（そのためにはアメリカを信じなければならない）、あるいはトッドが唯一の答えとして差し出したように、みずから核武装するか、のいずれかを選択しなければならない……ように見える。

発掘するのではない、コントロールするのだ

アーレントが述べるフェアラッセンハイトは、一九世紀後半から、都市化にともなって人々の生活を襲っていたものだ。レーニン、スターリンの時代には、これが方法的に、意図的に、計画的に、巨大な規模で駆使されることになる。民族の強制移動、農業の計画化・集団化、ソ連領土の全体にちらばった収容所群島の間を恣意的に移動させせられる被収容者たち――といった根こぎ政策によって加速される。ナチスにおいては「大地」や「根拠」をめぐる強迫観念が「血と大地」や「生存圏」というイデオロギーを支えている。ロシアではそれが、たんなる強迫観念やイデオロギーではない、リアルな「大地の塊り」「凍土の塊り」であるユーラシアとして、背後にはてしなく「存在」している。

もう一つの事情がここに加わる。技術的思考は最後に、自然（ナトゥーラ）の核心部——物質が物質であることの核心部から、あらたなエネルギー源を発見し、解放することに成功するのである。このエネルギーはおよそ計量性の次元を異にするような、計量の針が何回転も振り切れるような絶対的エネルギーである。「核」技術の問題の本質は、核兵器や原発事故がもたらす現実の悲惨さではない、水爆の現実の爆発などものの数ではない、とハイデガーは言う。核兵器が爆発を起こす場合でも起こさない場合でも、また原発が事故を引き起こす場合でも引き起こさない場合でも、「核」が持っている役割が、人間の思考に対する技術的思考の絶対的支配をもたらすことはかわらない。

「核」は兵器の形をとる場合でも、また平和利用の場合でも、現実の戦争が起こっても起こらなくても、人類の戦争と平和を絶対的に支配するメタレベルをつくった。

「核」以前のエネルギーにかかわる問題は、どうやって、どこからエネルギーを調達するか、という形をしていた。そのかぎりでは人は何を考えようと自由だ。だが「核」エネルギーが解放されてからの問題は、どうやってこの途方もないエネルギーを抑え込むか、コントロールするか、という問題に変わる——つまり人はこのことへの答えを内包しないでは何も思考できない、というところへ導かれる。

「思考」も「真理」も「知性」も同じ変化を被る。「知」もまた、発掘し収穫すべきものではなく、整序しコントロールすべきものになる。思考の問題は「真理」が発見できるかどうか、ということではない。思考の問題は「情報」を――膨大な情報やプロパガンダやデマゴギーをコントロールできるかどうか、という「技術」の問題に変わる。「核」の問題は、核兵器や原発の実在の問題である以上に「核」がもたらす世界の構造変容全体のことなのだ。

地政学のポストモダン的復活

『ユーラシアニズム』の最後の登場人物は、アレクサンドル・ドゥーギン。以下はふたたびクローヴァーの祖述である。

ドゥーギンは一九六二年生まれ。七〇年代中流家庭の、計画されコントロールされた均質さに反発して八〇年代、ヒッピー運動の後継となるカウンター・カルチャーの運動にはいる。神秘主義、ナチズム、ロック、シュルレアリズム、とりわけロートレアモンなどの洗礼を受ける。いわゆる「社会のくず」として、一九八三年には逮捕経験を持つが、のちナショナリスト政党「パーミャチ（民族愛国戦線）」に参加する。これはあらゆるカウンター・カルチャー、サブカルチャーからネオナチまでも合流させた組織であり、あらゆる反体制勢力を糾合しようとしていた、当時のエリツィンとも接点が生じる。彼らの関係にKGBも深く浸透している。ドゥーギンはここで、ポストモダン・ナショナリズムのアジテーター、確信犯的なデマゴーグとして頭角をあらわす。

ドゥーギンは「反体制」である。ソ連の反体制、ロシアの反体制というと、西欧の側からは反スターリン主義のリベラリストを思い浮かべるが、ロシアの実情はちがっている。反体制のなかでは、西欧型のリベラリズムと民族派ナショナリズムとが競合している。優勢なのはほとんどつねにナショナリストのほうである。ドゥーギンもまた、ビザンツ帝国復活型のナショナリズムのアジテーターとしていくつかの本を書いて、一九二〇年代ドイツ保守革命の流れの中にあるユンガー、シュミット、ニーキッシュ、ハウスホーファーらに親近する。大陸帝国主義の両極であるドイツとロシアの「影の同盟関係」が、彼の中で復活している。ヨーロッパへ出て行って、ド・ブノアら新右翼と接触したこともある。社会主義ではもうやってゆけない。だがリベラリズムの欺瞞にも耐えられない。両方に対抗できるものとしてユーラシアニズムが見出される。一九世紀には「ハートランド」を、マッキンダーの地政学が、イギリスにとって敵方のイデオロギーとして賦活したのだが、二〇世紀後半には同じものが、ポストモダンの機会主義的(オッカジオネル――これはカール・シュミットの用語だ)な衣装として再登場するのである。ドゥーギンの『地政学の基礎』がベストセラーになるのは、ロシアがソ連解体後の「どん底」にあった一九九七年のことだ。

一般に旧社会主義国において、社会主義はきわめて容易にナショナリズム・民族主義・愛国主義に移行できる。なぜなら反米=反西欧=反リベラリズムが、ナショナリズムへの移行のための媒介項として有効に機能するからである。また「軍」という実力装置が、民主化勢力と対抗するにあたって、共産党があまりたよりにならなくなると、ただちにナショナリストに同盟を求めてくるからである。

ドゥーギンは、リベラル派の「文学新聞」に対抗するナショナリストの新聞「ジェーニ」のプロパガンダ担当のコラムニストになり、さまざまな「陰謀論」を展開する。彼はポストモダン期の、確信犯的なデマゴーグであって、ことの真偽に重きを置かない。陰謀があろうがなかろうが関係ない。事柄の実在ではなく「信憑の実在」だけが問題なのだ。彼は真理概念の、このデカダンスそのものにコミットしたのである。

同世代人プーチン

ドゥーギンの「第四の政治理論の構築に向けて」は、東浩紀編集の「ゲンロン6」に訳出(二〇一四、乗松亨平訳)されたものを読むことができる。ファシズム、コミュニズムが失敗に帰したあと、生き残ったわれわれの敵はリベラリズムである、これを踏み越えて「第四の政治理論」を構築せよ、と述べるドゥーギンの文章は、その文体においても、平板な遠近法においても、思想というよりは、いたるところにポストモダンの思想語をべたべたと貼り付けた、長文の政治的フライヤー(アジビラ)のようなものに見える。内容がそうだというよりも、文章の格調がそういうタイプなのだ。

ファシズムからはそのドグマ性を漂白して「エトノス」の核を取り出す。コミュニズムからはその理論的な普遍性を消去して神話性を取り出す。リベラリズムからは「個人」の枠組みをとりはずして「自由」だけを残す。ハイデガーの現存在(そこに - ある Dasein)からは「ある

Sein」の契機を稀薄にして、その空間性daだけを残す。「正しい理論」などどうでもいい。そんなものはどうせシミュラークルにすぎない。自由freedomの設立ではなく永続的な解放運動liberationを、つまり反逆revoltの核心部分だけを残す、ということである。

こういう発想はじつはわからないことはない。一九六〇年代末の世界規模の学生反乱の核にあったものと同型だからだ。西側と中国で二〇年前に起こったレヴォルトを、揺らぎ始めたスターリン主義のもとで反復しているのだ。ドゥーギンが述べているのは、アーレントの言う「革命の反転」の意味を受け取り損ねたままで（受け取りを拒否したままで）政治権力者の語彙に直接移し替えられた、無限定な「詩的自由」のようなものだ。そこで私たちはすこし落ち着かない気持ちになる。プーチンはじつはちょっと遅れてきた一九六八年世代であって、その世代的感性によってドゥーギンに呼応しているのではないか？　私たちのプーチン否定はじつは同世代的感性への近親憎悪なのではないか？　いいかえると私たちは、敗北の復讐者としての位置に自分を直結させるとき、ほんとを言えば、プーチンの気持ちがよくわかっているのではないか？

復讐と残虐への情熱によっても人は一つになる

日本は第二次世界大戦での敗北のトラウマを、自らに対して隠ぺいするようにして戦後のアイデンティティを作った。もうそんなものは見たくもない、というものを、現実に取り去る代わりに、とりあえず目の前から消去する、という無意識の防衛機制をとっている。反米・反軍備・反核というのは、このような意味での意識の「覆い」であると言ってよい。理念世界をこうした心的メカニズムで守っておいて、現実界では、保守的なリアルポリティクスが、たえまなくアメリカとの同盟関係を維持し構築し、軍備を増強し、核の傘に入るためあらゆる努力を支払ってきたのだ。戦後日本の左翼ナショナリズムはじつはそのことをよく知っていながら、このリアルポリティクスを、自分とは反対側の保守陣営がしている悪しきことであるかのように、それを「告発」し「否定」しつづけてきたのである。外に向かってはこの恥部を（内に向かってはあの恥部を）隠すことによって日本は、国際社会の中で、他の先進国が整合的に満たしている「西側の一員であり続けること」の条件をかろうじて満たすことができている――とすれば、戦後日本の左翼と右翼は、対立する二つの思想なのではない。一つの敗戦国が敗戦国であるままで戦後国際世界の一員として入りこむための、同じ一つのものの二つの顔であり、二重姿勢であり、擬態なのだ。

ところで冷戦という名の世界大戦に敗北したロシアが、敗者として冷戦後の「戦後」にしたことは、日本の戦後とはウラオモテ逆のことだった。ロシアは自らが敗北したというトラウマをたえず反復し、自虐的なまでに生々しく蘇らせておこうとした。乗松亨平は次のように述べている。《冷戦敗北という、現代ロシアをかたちづくった根源的トラウマ（先述したように、これは事後的にトラウマ化されたものである）を覆い隠すようには、復讐のイデオロギーは構成されていない。たとえば日本の戦後民主主義は、第二次世界大戦の敗北というトラウマを覆い隠すイデオロギーであったといえる。それに対してプーチン政権のイデオロギーは、トラウマを分離するどころか、たえず呼びもどして再刺激することで成り立っている。象徴界と現実界を分離し、社会秩序を保持すべきイデオロギーが、むしろ象徴界と現実界を接合し、トラウマの記憶によって社会秩序を脅かしているのではないか。いいかえると、秩序形成の基盤とされる敗北のトラウマが秩序自体を不安定化し、復讐によるトラウマの治癒へと、利害を無視して自己破壊的に社会を駆り立てるのではないか。》(「イデオロギーと暴力」「現代思想」二〇二二年六月特別号)

日本の戦後においては一九六〇年代の学生反乱が、トラウマに覆いをかけ続けてきた欺瞞に対する一瞬露出した告発だった。ロシアにおいては、この告発者の聖像破壊的な情熱が、そのまま直接に政治権力を握っている。それは政治権力者のなかで不断に自らを露出し続けてきた。そして日本の反逆 revolt が「山岳ベース」のような極小の空間に追い詰められたのと対照的に、ロシアの復讐は、国際関係のただなかへ大々的に開放されている。直接的な近親憎悪と復讐の生理学の形をとって、国境をまたいでひろびろと広がるステップの中で、反復されているのだ。行なわれる戦争はなによりも「残虐」なものでなければならない。それは西欧国民国家同士の戦争のようであってはならない。それはむしろ内ゲバ的な、アウトローな戦争でなければならない。国内の反体制派を残虐に暗殺する場合も同じである。このことによって現実は、立ち返ってくるトラウマとかろうじて見合うものになる。ロシアは大量の核兵器を持ち、高度な戦争テクノロジーを持つが、核兵器は使われないままでも、こうした戦争の野蛮な残虐さと、そして可能な限り続くその「長さ」を、守っている。「核」は存在そのものによって、人間の思考に対してメタレベルをつくるからだ。

反体制の中心はナショナリストだ

下斗米伸夫「キエフの聖職者が作ったロシア国家像」によれば、スターリンはグルジアの神学校の出身者であり、モロトフ、ジダーノフらはギリシャ正教と浅からぬ関係があった。一九九一年ソ連の崩壊にいたるまでの登場人物たちも、それぞれに私にはよくわからない宗教的・民族的出自をもっている。外相グロムイコは古儀式派に属し、宗教を解禁すべきだと考えていた。ゴルバチョフはロシア南部コサックの出身である。ソルジェニーツィンはウクライナ人とコサックとのハーフであり、晩年の『よみがえれ、ロシアの再建』では、ルーシ三兄弟（ロシア、ウクライナ、ベラルーシ）による「全ロッシースキー国家」の構想を語っている——等々。西欧に向けられた表層がはぎとられるとき、そこにいっそう底知れない、かぎりなく入り組んだ地金の部分があらわれる。

一九九一年、ソ連の崩壊とともに独立国家ウクライナが誕生する。宗教的にもウクライナ正教会は独立正教会となるが、一九九二年ハルキフ宗教会議に前後して、早くも「ウクライナ正教会キエフ総主教庁」と「モスクワ総主教庁ウクライナ正教会」に分裂する。この両派のほかに「東方典礼カトリック教会」があることは以前と同じである。

政体としては直接選挙による大統領と、首相と最高会議からなる議会制とが二重になっている。ソ連解体後は脱ロ入欧派の流れと親ロシアの勢力が、西ウクライナと東ウクライナにそれぞれ拠点を置いている。さまざまな帰属性をもった人々の集団が混在する空間が、ウクライナとして、外から区切られているのである。その空間がひとつの国民国家たりうるかどうかは、この区切りのなかに住む住民たちの「日々の住民投票」（ルナン）にかかっている。つまり現在の対ロシア抵抗戦争こそが、ウクライナをはじめて国民国家として形成しようとしている。

二〇〇四年のオレンジ革命は、親ロシア派のヤヌコヴィッチと親ＥＵ派のユーシチェンコとの間で争われた大統領選挙の選挙疑惑とやりなおし選挙をめぐっている。結果は五二パーセントの得票でユーシチェンコが勝利するが、このときの親ＥＵ派は、たんに反ロシアのリベラルばかりだったわけではない。そこにはそれ以上に民族派がおり、さらにネオナチとされる勢力も加わっていた。

二〇一〇年の大統領選挙では、こんどは親ロ派のヤヌコヴィッチが当選する。だが二〇一四年ユーロマイダン革命が起こり、それを収拾しようと前倒しされた大統領選挙で、今度は親ＥＵ派のポロシェンコが勝利、ヤヌコヴィッチはロシアに亡命。ウクライナはＥＵの側に大きく接近する。だがここでも同じような事情があった。この親ＥＵ派は欧米志向のリベラルばかりからなっていたのではない。多くの民族派がおり、「自由」「右翼セクター」などに拠るネオナチの勢力が事実として混ざっている。そこにタタール人の勢力が加わり、彼らの抑圧・拘束・移送を含む、ウクライナ・ロシア民族間の軋轢が加わり、諸勢力間の内ゲバは、ウクライナ中央政府やロシアを巻き込んで、苛酷で残虐なものになった。プーチンはしばしばウクライナ政権をネオナチと呼び、ロシア系住民の虐待を言うが、おそらくその言い分に——またその反対の言い分にも、受け入れられる土壌はあるのだ。

戦争の最終審級

ウクライナ一国の、とりわけその東部の国境地帯をめぐって、残虐が集中している。ここで起こっていることは、血と泥にまみれた内ゲバ的な戦闘である。内ゲバ的というのは、西欧的な国家と国家の戦争ではなくて、世界大の理念の闘争が、近親的な憎悪や残虐さとなって、ある限定された空間に集中するような戦闘のことだ。

決して侵略者に勝利させてはならない。命と敗北とをかけてそれと戦っている人々を、私たちは軍事的に、人道的に、支援しなければならない。そのようにして諸国家と国際関係のシステムを復元しなければならない。

すでにチベットの敗北があり、ウイグルの敗北があり、香港の敗北があった。この先ウクライナは敗北するかもしれない。台湾は敗北するかもしれない。国家間の枠組みそのものが突き崩されて、沖縄は攻撃されるかもしれず、北海道は侵略されるかもしれない。実体的な関係だけをたどってゆけば、私たち自身の国家も、ロシアに、中国に敗北するかもしれない。そのあとの占領状態は七〇年前のアメリカによる日本占領とはまったく違ったものになるだろう。これらのことが私たちのリアルな生活の中に予感的に入り込んできて、私たちの遠近法を平板なものにする。すると私たち自身が、はるか遠い空間にいながら、はてしなく強迫的に、内ゲバ的にふるまうことになる。インターネットが作り出す仮想の「近さ」のなかでは、人々はすでにいちじるしく近親憎悪的にふるまっている。

ウクライナは勝利するだろうか。私たちのだれもがそれを願うだろうが、だがここで、戦争にとって、それが勝利に終わるか敗北におわるかということが、その最終審級ではない、ということは大切なことだ。戦争に敗北することはその国の属国化をもたらすが、それでもそれは戦争の最終審級ではない。

七七年前の敗北によって、私たちはそのように属国となり、その属国性は（私たち自身は忘れていても）現在もなお存続していると言われている。それゆえに私たちは、いまこそ国家として独立すべきだ、などと語られてもいる。

だが、問題がすり替えられているのである。じっさいには、一人の人間の思想が有意味であるために、その人が帰属している国家の独立が必要なわけではない。私たちの属国性についてもこのことは言える。私たちの国家の属国性が、そのなかで思考している人間の思考をダメにするわけではない。なぜなら私たちはいまから二〇〇〇年以上前、ローマ帝国の支配下にある、せいぜいあと一〇〇年しかもたないような弱小な「属国」の、その属国性を支える民族宗教の、狭小で凝縮された内ゲバのなかから、血と泥でまみれて死んだ敗者が身を起こして、ひとつの思想として、その後二〇〇〇年の間、世界を支配することになったのを知っているからだ。

私たちが毎日聞いていること

ロシアは九〇年代のコソヴォ紛争やアラブの春、二〇〇〇年代に入ってからの東欧アジア圏での民主化革命・カラー革命から多くのことを学んでいる。そこでは民主化を求める民衆の運動と見えるもの、市民運動・NGOと見えるものが、欧米諸国家による支援を受けており、それらによって背後から操られていた――と考えている。戦争テクノロジーもその間にサイバー戦争を含むプロパガンダ・非接触型戦争にむかって進化している。ロシアは九〇年代の経済的低迷から脱して、二〇〇〇年代には石油ガス部門の政府への集約によって一気に好況に転じている。いまや九〇年代〇〇年代に欧米諸国がやったことをロシアがやって悪い理由はない、と言いうる立場に立っている。軍事的にはハイブリッド戦争、そしてメディアを操作してのハイテク戦争が可能である。ポスト・トゥルースのあたらしい根なしの知性の世界的な広がりは、情報戦争にとって自在な地平を提供している。

二〇〇〇年代以降のロシアの軍事の主調音になっているのは、冷戦における敗北後、いったん落ちるところまで落ちたロシアの軍事力が「窮鼠猫を噛む」的に自己を挽回し正当化するときの、デカダンスを色濃くはらんだ、暗い復讐戦争、失地回復戦の力学である。

シリア戦争へのコミットメントに続いて、マイダン革命とロシア系住民への抑圧を契機として、プーチンはクリミアの併合に向かってすすむ。ここでは九〇年代から〇〇年代にかけて欧米から学んだ、あたらしい戦争の技法が駆使された。議会・行政・交通・メディアなどを占拠し、扇動による住民運動・自警団の組織などを経て住民投票を強行し、併合は圧倒的多数で承認される。クリミア・タタールだけがこれに抵抗するが、クリミア半島の独立、ついでロシアへの併合が三週間後には決定する。さらに戦線はドンバス全体へ拡大、「ドネツク・ルハンスク人民共和国」をめぐるものに変わってゆく。その後数年間に起こったことについては、現在私たちが毎日見聞きしているとおりだ。

私たちは「こちら」にいると思っているが、ことによるとそうとうに深く「向こう」側に根を持ち、「向こう」側の人間であるかもしれない。私たちは毎日、見聞きしている。だが私たちに求められているのは、何が事実であり何がフェイクであるか、というような判断ではない。必要なのは、起こっていること・それが伝えられる仕方の総体であり、世界の変容を語る最終審級とは何かという問いへの洞察である。つまり「構造的真理」とは何か、という判断が求められているのだ。

＊　この二月以降のウクライナ戦争をめぐる事実関係については、ラジオとインターネット、ネットを介し

たテレビニュースで報道されていることしか知らない。だがなんとかことの流れをつかみたいと思ったので、小泉悠『現代ロシアの軍事戦略』（二〇二一年、ちくま新書）、河東哲夫『日本がウクライナになる日』（二〇二二年、CCCメディアハウス）、服部倫卓・原田義也編『ウクライナを知るための六五章』（二〇一八年、明石書店）などからはじめて、時間をさかのぼって輪郭をたどろうとした。『現代思想』（二〇二二年六月臨時増刊号）所収の塩川伸明、池田嘉郎、高橋沙奈美、加藤有子、白井聡、岩下明裕、松里公孝、下斗米伸夫、乗松亨平、浜由樹子、大竹弘二、辻隆太郎らの所論に基本的なことを教えられ、またエマニュエル・トッド「日本核武装のすすめ」ほか、『文芸春秋』（二〇二二年四月号）の東郷和彦、畔蒜泰助、小泉悠、古川英治らの所論を参照している。また二〇一七年刊の『ゲンロン』六号にたどりついて、ドゥーギンの文章の他、東浩紀、貝澤哉、乗松亨平、畠山宗明、松下隆志、アルテミー・マグーンらの所論に教えられた。その過程で、チャールズ・クローヴァーの『ユーラシアニズム――ロシア新ナショナリズムの台頭』（越智道雄訳、NHK出版）に出会った。これはクリミア併合の帰趨を見極めるようにして、二〇一六年に書き上げられた本だが、私たちが漠然とソ連やロシアについて抱いている遠近法をまるごとゆるがすようなものだった。これらはいずれも日本語で読めるものばかりで、前提になる知識が私にないので、誤読や誤解もたくさんあると思う。「キエフ」「ハルキフ」などの表記は当時のままにしてある。

＊　マッキンダーやハウスホーファーの地政学と「ハートランド」や「ユーラシアニズム」の近傍について、またドゥルーズの戦争機械については、私自身が一〇年以上前に文章にしたものがあったので、それを何カ所か自己引用した。初出は以下のとおり。――

「ヘテロトポロギカ1　聖戦遂行型戦争機械について」（「詩論へ1」二〇〇九年二月、首都大学東京現代詩センター）「ヘテロトポロギカ2　霊性の東まわりの道」（「詩論へ2」二〇一〇年二月、同）「ヘテロトポロギカ3　超越性アレンジメント」（「詩論へ3」二〇一一年二月、同）、「戦争詩論以後――満州からハートランドへ」（二〇〇八年十一月「現代詩セミナーin神戸」での講演、「現代詩手帖」二〇〇九年一月、のちに

（『純粋言語論』〔二〇一二年七月、五柳書院〕所収）

一九四四年アーレントのシオニズム論から現在へ　2024.2

ハナ・アーレント／テオドア・ヘルツル／パレスチナ／レオン・ピンスケル／ハイム・ヴァイツマン／ダヴィド・ベン＝グリオン／ジューダ・マグネス

……もし、その他の損傷があるならば、命には命、目には目、歯には歯、手には手、足には足、やけどにはやけど、生傷には生傷、打ち傷には打ち傷をもって償わねばならない。

（「出エジプト記」第二一章22－25）


寄留者を虐待したり、圧迫したりしてはならない。あなたたちはエジプトの国で寄留者であったからである。

（同二二章21）

アーレント一九六四年の講演草稿断片1と註

《ナチスの犯罪の道徳的次元は、それによって何百万の死者が出たとか、この問題が「ジェノサイド」と呼ばれるかどうか、ということによって理解されるべきものではありません。民族全体を絶滅する、というようなことは古代にも、また近代の植民地主義にもあったのです。だがナチスによる大量殺戮においては、ことのすべてが法律にのっとった秩序の枠内で起こったこと、さらにこの「あたらしい法状態」の支柱が「汝殺すべし」という命令形によって成り立っていたこと――このことを認識することによって、はじめて事柄の核心を理解できるのです。しかもそこで殺すべきなのは自分の敵なのではなく、潜在的な意味ですらなんら危険をはらんでいるわけではない、罪のない人間たちなのです。その上何か必要に迫られて、というのでもなく、むしろまさしくすべての軍事的戦略、有効性への配慮といったものに「逆らって」それが行われたのです。この殺人プログラムは地上の最後のユダヤ人によって終えられるようなものでもないし、なんら戦争と相関していたわけでもなく、ただヒトラーが、戦争によってこの非軍事的殺害措置をカムフラージュできると考えていただけです。この殺害措置は平和時においても、いっそう誇大妄想的な規模で続行されようとしていました。》（アーレント一九六四「独裁下における個人的責任とはなにか」）

（註）……これは一九六四年に英語で準備され、そのまま公刊されずに、遺稿のなかから発見されたアーレントの講演原稿[*1]（以下「アーレント一九六四」と記す）の一部である。ナチスの絶滅政策が持った意味の大きさは、殺された人々の数の大きさや、それが民族浄化やジェノサイドという性格を持っていたか否かによって測られるようなものではない。それが持つ決定的な意味は、道徳的な次元にあり、なによりもそれが「合法的」におこなわれたということ、すなわち国家そのものがアウトローになったという、そのことにある。法的状態がその社会の道徳状態と規定し

あっているとすれば、そこには「殺すこと」こそが「よいこと」である、という道徳状態が作り出されていたということを意味している。長い歴史時間をかけて「汝殺すべからず」の命令の上に生成してきた私たちの道徳的・法的な基盤を、ナチスの絶滅政策は不可逆的に破壊してしまった。

またその絶滅政策は「敵」に対するものではなかった。このことが何を意味するのかというと、殺戮は戦争とはかならずしも関係がないということである。殺戮は戦争に伴うやむを得ない代価として起こるわけではない。かりに未来において戦争が合理化され技術化されて、殺戮をともなわない戦争というものが考えられるようになったとしても、戦争とはかかわりのない大規模な殺戮がなおいくらでも起こり得る。それはおよそ「敵」に対するものではなく「味方」に対するものでもありうる。「殺戮」は「戦争」とまったく別の次元で考えなければならない。

もうひとつ、付け加えなければならないことがある。それは「殺戮」と「戦争」とが、現実には「混ざって」いるかもしれない、ということである。それらは別次元で考えられるべき、行為の質においても動機においても別系列に属するものであるのに、混合していることがありうる。一見したところ「敵」に対する国家の行動としての「戦争」であるように見えながら、それが実質的には「殺戮」である、ということがありうるのだ。

アーレント一九六四年の講演草稿断片2と註

《しかし、たとえ私たちがふだん引き合いに出すあらゆる処罰理由がここで適用不可能だとしても、なおかつ私たちの正義感覚は、何千人・何十万人・何百万人の人間を殺戮した人間たちを無罪放免することを、耐えがたいと感じることでしょう。それをたんなる復讐願望とだけ考えるなら、それは馬鹿げた話です。そんなふうに考えてしまうと、そもそも掟と刑罰がつくられたのがつまるところ復讐の無限の悪循環を断ち切るためだった、という事実を度外視することになるからです。私たちはここに存在している。私たちは端的にそのことによって裁き、私たちの義の感覚に適合した処罰を要求します。しかし同時にいっぽうでこの同じ義の感覚こそが、私たちの古くからの刑罰観念や、その正当化の根拠づけが、もはやすべて崩壊してしまっていることを、私たちに告げているのです。》（アーレント一九六四）

（註）……ホロコーストは（アーレントはこの語を使っているわけではない）何百年と伝承されてきた私たちの道徳的規範や尺度を打ち砕き、溶解させるような出来事であった。だから私たちはいまやこの出来事を裁くのに、いかなる規範も尺度も使うことができない。しかしそれでもなお、私たちは数千、数十万、数百万の人間を殺戮した人間を無罪放免することを、耐えがたいことだと感じる。そして、許すことができないというこの情動には「義」がある、と感じる。それをたんなる復讐願望とだけ考えるなら、それは馬鹿げた話である。それだけでは、そもそも掟と刑罰がつくられたのが復讐の無限の悪循環を断ち切るためだった、ということを度外視すること

になるからだ。既成の法や刑罰の規範が崩壊した後に、私たちには復讐の欲望だけが残るのではない。そこには復讐の無限の連鎖をくいとめるために、なんらかの法や刑罰をつくりだそうとする「義 Gerechtigkeit」への契機が残されている。そこからあらたな道徳性の基盤をつくりなおさなければならない。それを「あらたな」と呼ばなければならないのは《この同じ義の感覚こそが、私たちの古くからの刑罰観念や、その正当化の根拠づけが、もはやすべて崩壊してしまっていることを、私たちに告げている》からだ。

——これが、ここまでの議論の表向きの意味である。だがここではそれとは別に、この文章がその裏側で語っている論理をとりだしておく必要がある。あらゆる法や刑罰の規範が崩壊してしまった後に、私たちには「許すことは耐えがたい」というナマな感覚が残されている。これは復讐の情動にかぎりなく近いが、この復讐には「義」への契機が含まれている、と私は言う。しかし残されたこのナマな感覚が、最初から「義」の感覚だけからなりたっている、と言いたいわけではない。存在的な反復としての復讐、濃厚な「復讐」の情動の直接性がまず最初にあり、しかしそれが無限の悪循環におちいるのを避けるためにこそ、「義」がひきよせられるのだ——とアーレントは言っているのである。ナマな「義」の感覚が、復讐への欲望を最初から排除した命法のような形であたえられているわけではない。伝承された法や刑罰の規範は崩壊してしまった。そこに最初に姿をあらわすのは、法的な規範がその成立のごく初期に禁じ手にしていたもの——「復讐」の情動のほうである。それを言わなければ、この議論は欺瞞を含んでいることになるだろう。

シオニズム再考

私はパレスチナをめぐる問題にとくに切実な関心を持っているわけではない。一度だけ二〇〇二年に学生たちとハナ・アーレントの「シオニズム再考[*2]」(Zionism reconsidered,1945. ドイツ語標題「今日の視点から見たシオニズム」Zionismus aus heutiger Sicht 以下「アーレント一九四四」と記す)を読んだことがある。経緯はほとんどおぼえていないが、時期から考えると「九・一一」との関連でこのテクストを選んだのだろうと思う。

それは、九・一一への報復であるブッシュのイラク戦争と、それを強力に後押ししていたイスラエルに対して、アウシュヴィッツの長大なドキュメント映画『ショアー』の監督であったクロード・ランズマンが断固たる「支持」を表明して、そのことが、それまでランズマンをポストモダン期の表象批判の旗手だと思い込んで崇敬していた、日本の九〇年代の若いアカデミカーたちを愕然とさせていた時期のことである。彼らはランズマンの宗教性にもシオニズムにも特に関心がなかったから、彼の表象批判がユダヤ教の図像禁止に由来するとは思っていなかったにちがいない。

そのときに使ったリーフ・ノートが手元に残っていて、それをくりかえしめくっているといくつかの主題がよみがえってくる。どこまでがアーレントの主張をトレースしているのか、私の思い付き・考えが入り込んで混濁しているのではないか、他のだれかの著作に示唆されて変形されているのではないか、よくわからない箇所がいくつもある。だがこのノートが、私が現在のイスラエル—ハマス戦争に、さまざまなメディア情報とは別の仕方でアプローチする唯一の足場である。アーレントのテクストのほかに三冊ほどの書名があげられているが、

ウォルター・ラカー『ユダヤ人問題とシオニズムの歴史』：Walter Laquer: *A History of Zionism*, 1972

レニ・ブレナー『独裁時代のシオニズム』：Lenni Brenner: *Zionism in the Age of the Dictators*, 1983

Monika Grubel: *Judentum*, Dumont Schnellkurs,1996

最初のものはシオニズム史としてほぼ客観的な記述にあたるもの。二番目のものは、シオニズムがナチスやポーランド政権と一体になっていかにユダヤ人自身を抑圧したかを批判的に語ったもの。三番目のものは、それらの前提となるユダヤ教の歴史の、かなり詳細なガイドブックのようなものである。そのつどあたったものが、この他にもいくつかあったと思う。いま思い出せるものとしてエリザベス・ヤング＝ブルーエル『ハンナ・アーレント伝』（荒川幾男・原一子・本間直子・宮内寿子訳、晶文社）がある。

アーレントがシオニズム運動に接近したのは、一九三三年ヒトラー政権が成立した年。アーレントは友人であったシオニスト、クルト・ブルーメンフェルトの手助けでフランスへ亡命してい

る。パリ亡命時代には、ユダヤ人の子どもたちをパレスチナへ移住させる活動をした。収容所からかろうじて脱出してアメリカへ移住した後は、亡命ユダヤ人を中心とした「アウフバウ」誌のコラムニスト・編集者として活動した。この関係は、のちに『イエルサレムのアイヒマン』がアメリカのユダヤ人社会に激しい反発を引き起こすまで続く。ユダヤ人軍団を作って連合国側で闘い、戦後ヨーロッパの一員となることをめざす、というモチーフで「ユダヤ人軍団委員会」に近づいたのが、一九四一年ころ。だがこの組織が修正派（原理主義者）の拠点であることがあきらかになると、ただちにそれを離脱して「青年ユダヤ人グループ」に加わった。ヴァイツマンらの一般シオニストにも、ベン・グリオンらの修正派にも反対、一九四二年ビルトモア会議で「アラブ人を少数民族とするユダヤ人国家」を主張したジューダ・マグネスにも反対。シオニズム内での正統派にも原理主義者にも反対派にも反対する究極的な反対派として、彼女が構想していたのは――「国民国家」を超えた世界秩序を目指す、ユダヤ人による革命的な「民族（民衆）運動」である。

アーレントは「シオニズム再考」というこの論考を、一九四四年アトランティック・シティでおこなわれた世界シオニスト会議（WZO）の大会報告からはじめている。修正派の勝利に終わった会議を批判するアーレントのこの論文は、一九四四年に本文が書かれ、「コメンタリー」誌編集部に渡されるが、反ユダヤ主義的な内容が含まれているという理由で掲載されず、世界大戦終戦時の問題を註の形でつけくわえて、翌一九四五年に「メノラー・ジャーナル」に全体が発表されている。すでに現在まで八〇年がたっているが、その内容はある意味で、時事的な記事以上に二〇二三年以後の事態をリアルに説明するものになっていると思う。

ただ「技術」の問題だけが、この議論の外側に残されている。「技術」がその後の戦闘の形態をまったく変えてしまい、言論というものが持つ意味も変えてしまった、ということを含めて、その領域はいわば、アーレントがハイデガーのために残しておいた領域であると思う。

バルフォア宣言

「シオニズム」という語が最初に使われたのは、一八八二年ウイーンにおいてユダヤ人ナショナルの学生組織 Kadima が結成されたとき、その指導者ナータン・ビルンバウムによるその結成宣言においてである。同じ年、ユダヤ人のヨーロッパ外への大規模な移住運動（Aliyah）が始まり、ナチス時代の終わりまでのあいだに五次にわたって、数万人から最終的には二〇万人くらいの規模で人々が流出していった。行く先はパレスチナかアメリカであり、シオニズム運動が本格化しない初期の段階では、アメリカへの移住者のほうが多かった。「シオニズム」の実質が姿を現わしたのは、一八九六年テオドア・ヘルツルの著書『ユダヤ人国家――ユダヤ人問題の近代的解決の試み Der Judenstaat ―― Versuch einer modernen Lösung der Judenfrage』によってである。この本が持った大きな影響によって、共通の理念を持つさまざまな勢力が集合して、翌一八九七年にバーゼルで第一回世界シオニスト会議が開かれた。バーゼル宣言の中心理念は《シオニズムは、公的・法的に保証された「故郷の地 Heimstätte」をパレスチナの地に要求する》というものである。まだユダヤ人は「国民」であるとも名乗っていないし、獲得されるべき空間が「国家」を準備するものであるとも言われていない。だがバルフォア宣言においてそれは「国民的故郷の地」と呼ばれることになったし、入植者たちのあいだにははじめから暗黙のうちに「国民国家」の建設を目指すものもあった。他方同時に、階級差別のない、平等と社会正義にささえられた、農業を基盤とした共同体の建設だけをめざす者もあった。後者は主として社会主義運動の洗礼をうけた東欧ユダヤ人たちであり、この目標はやがてキブツ運動として実践に移された。こうしてシオニズムのなかには世紀転換期のおおきな二つの世界潮流、ナショナリズムと社会主義とが合流していたことになる。

だがそのふたつの流れに先だって、まずなによりも「空間」が、この地上のどこかに獲得されなければならなかった。それは最初期には、パレスチナの地と一義的に結びついてはいない。候補として考えられたのはウガンダであり、マダガスカルであり、場合によっては南米でもありえた。それはなによりも、迫害されるユダヤ人のための逃亡の空間であればよかったからだ。

すべての前提となる、この空間獲得のための力はどこからくるか。それは第一にユダヤ人自身がそのような空間を要求し、そこへの移住を望むことであり、第二にはユダヤ人を、そのような空間へと押し出してゆく力学が、ヨーロッパにおいて支配的になることである。したがってシオニズム運動の初期の指導者たちにとっての第一の障害は、ユダヤ人のなかの同化主義者たちの存在であり、同化主義を「民族の自殺」であると主張して、これを論破する必要があった。初期シオニズムの指導者たちは次に、移住を推し進めるためにも、またその移住のための空間を準備するためにも、ヨーロッパ列強の反ユダヤ主義を利用しようとした。ドイツのヴィルヘルムⅡ世やポーランド政権の反ユダヤ主義と取引し、ある意味での協力関係を築かなければならなかった。

こうした努力は、第一次世界大戦期の帝国主義化する世界の中で展開された。その最初の大きな成果が一九一七年のバルフォア宣言である。イギリスの外相バルフォアは、大英帝国がイギリス連邦へと移行する時期のイギリスの帝国主義政策をとりしきった人物だが、第一次世界大戦の趨勢がおおよそ見極められた大戦末期、パレスチナの統治権がイギリスに委ねられるだろうことがわかると、ロスチャイルド卿を通じてシオニスト機構に書簡を送り、パレスチナにユダヤ人のための「空間」を約束する。こうしてイギリスは、国際的なユダヤ人勢力を味方につけようとした。

レオン・ピンスケル

時代を遡ることになるが、オデッサのレオン・ピンスケル（Leon Pinsker1821-1891）という名前が私のノートには出てくる。その主張の概略もそこに書きとめられている。だから私はそれがアーレントの論考のなかで論じられているものとばかり思っていたが、いまあらためて「シオニズム再考」をいくらさがしても、この名前は出てこない。いくつか挙げた他の文献の、どれか一つに出てきたものなのかもしれない。私は、この人物がシオニズムの先駆的な提唱者であると考えて、これをノートしたのだと思う。

ピンスケルはポーランドで生まれ、のちにオデッサに移る。一八八一年のアレクサンドルⅡ世の暗殺後、ロシア帝国で荒れ狂う反ユダヤ主義、横行するポグロームのなかで、法学者・医者として生活した。彼の思想運動は、国民国家の理念がヨーロッパの思想の先端であった時代、つまり一九世紀の七〇年代に、ユダヤ民族がもっていた意味を私たちに理解させてくれる。——ピンスケルによれば、ヨーロッパに散在しているいくつもの少数民族と、ユダヤ人とははっきりとちがっている。他の少数民族の場合は、ある国家の中で少数であっても、どこか別の地域に自らが多数派であるテリトリーを持っていて、それがみずからの「本国」になっている。現在の居住地で抑圧を受けた場合、彼らはそこへ逃げ込むことができるし、その「本国」を通じて国際社会に対して権利主張を行なうこともできる。だがユダヤ人はこのような意味での「本国」を持っていない。

ハプスブルク帝国のなかであれば、ユダヤ人はあちこちに散在する少数民族たちと同じステータスで、その一つとして散在することができる。だが帝国が解体して国民国家体制が前面に出てくると、個々の国民はそれぞれに一体化され均質化されたテリトリーを要求するようになるので、どの国民形成運動からもユダヤ人は排除されるようになる。ユダヤ人は「本国」を持たないので、ヨーロッパの国民国家秩序の一端を担うこともできない。二級市民として他民族の国民国家の中に留まるか、永続的な難民になるしかない。

その解決策として、ユダヤ人がヨーロッパ全土で迫害を受けたときにそこに逃げ込める「空間」を持つことがどうしても必要である、可能ならばそこに国際社会に向かって自らの権利主張を行なえるような独自の「国家」を持つこと――というのがピンスケルの主張である。彼の匿名の刊行物『自力(自動)解放Autoemanzipation』は一八八二年に発刊される。彼のグループは当時、まだシオニストとは名乗っておらず「シオンを愛する者たち」と称していた。

空間分割

ピンスケルの考えは原型的なものなので、いまそれを読むと、ヨーロッパ世界が国民国家秩序へと移行してゆく時期、この動きのかわりに、もう一つのオールタナティブがあったことが、はっきり見えてくるようになっている。そのオールタナティブというのは、中欧を覆う国民国家形成運動の沸騰に対しあからさまに反対し、帝国の維持・再構築にいわば「反動的に」固執するということである。そのほうがユダヤ人にとっては有利だったろう。政治的国家と社会的国家とを二重性として分離されたままにしておくこと。帝国はそのなかに多くの民族集団を抱え込んでおり、これらの諸民族からなる社会的国家と、それらを包括するメタレベルの政治的国家の二重性になっている。政治的国家のレベルでは政治的な均質・平等が実現されなければならないが、社会的国家においては生活・言語・宗教・文化の次元での異質性、異質な民族集団からなる複数性が維持され続けなければならない。社会的国家の中で複数性を機能させるために、民族集団は自己中心的であり、たがいに差別しあいながら共存していなければならない。そのことが、国民国家的な排他性・均質性・純粋性に陥ることから帝国を守るだろう。

だが帝国復活がアナクロニックなものでしかないのなら、何かそれに代わるヨーロッパ諸国家の複数性からなるヨーロッパ共同体を構想して、ユダヤ国家をその一員とする、という可能性が追求されなければならない。この考えはのちにアーレントが世界大戦後の戦後世界を構想するときのヒントになったはずだ。

だが一九世紀末から二〇世紀初めの時期、イギリスをはじめとする帝国主義本国の政策も、またそれと取引するシオニズムの側も、多民族の混在という問題を解決するにあたって、「空間分割」以外の発想を持ちあわせていない。政治権力と社会権力との分離という重層性を機能させて、国民国家内部の一体性こそを批判する、という道筋はまだどこにも見られない。アーレントのシオニズム批判の、第一の点はここにある。

《まずシリアからの分離、つぎにトランスヨルダンからの分離、というように二つの先行する空間分割の結果として現在の国境が引かれている。こうした小さな領土をさらに分割することによって、二つの民族の間の紛争が解決されうると考えるなら、それはまったく馬鹿げたことである。とりわけこれよりずっと大きな領域においても、これと似た紛争のために、いかなる領土的な解決も見出せないというような時代においては、なおさらそうである》（アーレント一九四四）。

「これよりずっと大きな領域」とここで呼ばれているのは、インド・パキスタンのことである。ここでもイギリスは宗教的な対立、民族的な対立を混在させているエテロトピー（混在郷）の問題を、空間的な分割によって「解決」しようとしている。インド・パキスタン分割をめぐる問題は、パレスチナ分割の問題とほぼ並行した帰趨をたどる。一九四二年の英印独立会議以降、ヒンドゥーとムスリムとの対立は、同様に「分離独立」つまり空間分割によって「解決」されるが、そのかんに二〇－三〇万人の殺戮が行なわれ、一五〇〇万人が難民となった。アーレントはガンディーの政治行動に共感を示すが、そのガンディーも四七年一月には暗殺される。

混在しているいくつかの民族を、内部の一体性・均質性を原理とする国民空間に分割しようとすれば、必ずそこに少数民族の排除や抹殺の問題が生じる。これに対してアーレントが固執するのは、複数性がたがいの異質性を保ちながら、ひとつの政治国家の中に共存するということだ。そのためには社会的国家と政治的国家との分離と重層化ということが不可欠である。それがただちに安定した平穏な状態に帰結すると期待することはできない。それは民族相互のたえざる闘争状態をもたらすかもしれない。だがそれは国家内の政治闘争に帰結するのであって、国家間の戦争にはならないはずだ。国連によるパレスチナ分割提案の当初から、アーレントがこれに外国勢力、第三者の大国が関与することを強く恐れているのは、この理由によっている。

この国家モデルをアーレントは亡命の地アメリカで発見した。国民国家が少数民族を排除するのと対照的に、アメリカは政体そのものが多民族を包括する原理によってできている。もちろんその政体をつくるために先住民族の排除や殺戮がおこなわれたことは現在では周知であるが、だがその政体の原理内部では、少数民族がそれぞれの共同体を保ったままで、たがいを差別しあいながら共存することになっている。合衆国はそのなかに多数の国家（ステート）を抱え込んでいて、少数民族はその中で、できるかぎり自分に都合の良い場所を選択しなければならない。

　アーレントはかつて、なぜ世界は一つの国家になってはならず、多数の国家が対立しあいながら並立していなければならないかを次のように説明していた。――一つの国でどうしても生きられなくなった人たちが、いつでも国境を超えて、別の価値が支配する他国へ逃亡することができるようにするためだ、と（「カール・ヤスパース――世界の市民」一九五七）。アメリカ合衆国は国家自体の中にこのメカニズムを備えている。もちろん激しい差別がそれにともなっているのである。

　一般に国民国家のなかに住むユダヤ人がシオニストになる場合、ただちに二重帰属の問題が生じる。おまえは来るべきイスラエル国家に忠実なのか、あるいはいま居住しているこの国に忠実なのか、と。だがアメリカのユダヤ人は、シオニストであるか否かにかかわらず、民族集団であるままでアメリカに居住できる。そしてこのことが、パレスチナではそのままヘブライ国民として読み替えられる。彼らは自由意思で「本国」を持つことも持たないこともできる。つまりイスラエル国家を必要とするか否かを、彼らひとりひとりが、アメリカ国民であるままで選択することができる。とりもなおさずこのことが、アメリカにいるユダヤ人たちが「自由意志で」イスラエル国家支持派になる理由になっている。

もう一つの空間分割

アーレントのシオニズム批判（この批判は同化主義者たちをも対象とする）の第二の点は、政治対立の内面化ということ——これは空間分割のもう一つの次元、人間の内面と外界との空間分割にかかわる——をめぐっている。

《いわゆる同化主義者たちはたいていの場合、完全な同化とナショナルな自殺をのぞんでいたわけではなかった。彼らは事実的な歴史からある想像的な人類史のなかへ逃亡することで、すばらしい生き残り方法を発見したかのように思いこんでいた。シオニストたちもまた、アクチュアルな紛争から、永続する反ユダヤ主義ドクトリンの存在へと逃げ込んだ。この「永続する反ユダヤ主義」というのは、ユダヤ人と非ユダヤ人との関係をいたるところで、不断に支配するだろうもの、そしてユダヤ民族にともかくも、その生き残りを可能にしてくれるはずのものであった。反ユダヤ主義こそがユダヤ人を存続させる、というのだ。こうしていずれの側の人々も（同化主義者もシオニストも）、反ユダヤ主義に対して自らの固有の——ということは政治的な、という意味だが——手段をもって闘うという骨の折れる課題、さらには反ユダヤ主義の現実の原因を考査するという骨の折れる課題を、放棄したのであった》（アーレント一九四四）。

この批判は同化主義者たちと、シオニストたちのうちとりわけ東欧からのパレスチナ入植者、思想的には社会主義シオニストと呼ばれる人たちに向けられている。同化主義者たちは「人類普遍性」の想像的歴史へと逃亡して、ヨーロッパの啓蒙主義の中に溶け込んでいる。それに対して社会主義シオニストたちは、「世界革命」がすべてを解決する、反ユダヤ主義もまた民族性を解体することで、世界革命への媒介となる、という終末論的な歴史に逃げ込んでいる。後者の場合、彼らにとっての闘争は、パレスチナにテリトリーを獲得したときにすでに終わってしまっており、あとはその空間に平等と自治の空間を作ること、その空間を死守し、拡張してゆくこと以外に何の欲望も残されていない。

《社会主義的シオニストたちは、パレスチナに入植したときに、すでに彼らのナショナルな目的に到達していた。彼らはそれ以上に、いかなるナショナルな欲望も持っていなかった。今日においては馬鹿げたことだと思えるかもしれないが、彼らはこの約束の地にすでに先立って住んでいる人々と、ナショナルな紛争になりうるなどと、まったく考えてもいなかった。彼らはアラブ人の存在に思考を及ぼすことすらなかったのである。こうした他愛ない無思考性以上に、この新しい運動の、まったき非政治的性格を証明するものはない》(アーレント一九四四)。政治の原理はほんらい「自らは自己中心的な力として、複数性の中で、他者にむかって関係を築いてゆくこと」である。社会主義シオニストたちが、政治問題を個人的問題に還元してしまったことは、内面化によって政治性を抹殺することであり、彼らの《無思考性》を示している。この「無思考性Gedankenlosigkeit」という語は、のちに最大の否定語としてアイヒマンに向けられることになるものだ。

天の助けを祈るしかない

第一次大戦当時、帝国主義世界のなかでシオニストはイギリスを利用しようとし、イギリスはパレスチナにおけるイスラエル建国支持を条件としてシオニストを利用しようとしている。この取引は大英帝国をイギリス連邦へ脱構築しようとするイギリスの世界戦略のまっただ中で行なわれている。外相バルフォアは、もちろんユダヤ人に対してだけではなく、アラブ勢力に対しても独立帝国を約束していて、中近東政策の平衡をとっている。そしてそのすべてが来るべき大戦勝利において、イギリスがパレスチナを分け前として得ることを前提としてすすめられている。これがイギリス外相バルフォアの「二枚舌外交」「三枚舌外交」と呼ばれるものだが、これが現在に至るまでの中東・パレスチナのながく続く不安定の初期条件をつくった。

アーレントの論点はシオニズムをめぐるものであり、イギリスの外交を道義的に批判するところに眼目があるのではない。ここで批判の対象となるのは、世界がすでに帝国主義の段階にはいっていることを認識できなかったシオニズムの時代錯誤のほうだ。シオニズムはその揺籃であった一九世紀末の、まだ先端的な輝きをもっていたころの国民国家理念を、みずからの変わることのない足場としており、完結した国土と、そこに住む純化され一体化された民族と、それを統治する単一の権力を当然の条件と考えている。ところが世界はもはや帝国主義段階にはいってひさしいのであり、このような意味での理念的国民国家の成り立ちを到底許容することはない。

《シオニストたちはひとつのナショナルな運動を代表しており、ナショナルな諸概念の中でしかものを考えられない人たちだった。だから帝国主義がネイションを破壊する力であるということ、したがって少数民族にとって、彼らが帝国主義の同盟者になったり、エージェントになったりすることは自殺行為に等しいということが、彼らの考えから抜け落ちてしまうのはあきらかなことであった。ところで――シオニストたちは現在にいたってもなお理解していないのだが――帝国主義的な利害関心からする保護というものは、一つの民族にとって、確かなきずなであると同時に、絞首のための綱でもあるのだ。》（アーレント一九四四）

アーレントがこの文章を書いている第二次大戦末期においても、シオニズム内部のこの時代錯誤は変わっていない。だが世界はこのときすでに、さらに一つ先の、未知の段階へと進んでいたのである。

《しかしユダヤ人にとって、国民国家やナショナリズムの没落を歓呼をもって迎えるいかなる理由も存在しない。人類史の次なる段階を予言することなどできないが、選択肢だけはあきらかなように思われる。くりかえし浮上してくるのは政治制度の問題であるが、これが解決されるのは帝国 Imperium の形式か連邦 Föderation の形式においてであろう。後者の解法がとられればユダヤ人や他の少数民族にある程度の生き残りのチャンスを与えられる。しかし前者の解法は、かつては人を動かし今なお生き延びているナショナリズムのかわりに、さまざまな帝国主義的な情熱をかきたてることなしには不可能である。そのようなことがもしも現実となれば……天の助け

を祈るしかない。》(同前)

帝国か連邦か。二つの解決法は、いずれも国民単位に空間を分割する国民国家のかわりに、複数の民族集団のうえにメタレベルの権力を重層させるような国家の形である。現在はすでに帝国主義を超えようとしている時代であり、国民国家理念を解体して世界を再編しようとする運動が非ヨーロッパをもヨーロッパをも支配している。ユダヤ人や他の少数民族が生き延びるための、残されたただ一つの可能性は「連邦」しかありえないのだが、純粋な国民国家の建設に心を奪われているシオニストたちはそのことに気づかない。原理主義的だったりロマンティックだったりする国民国家の範型だけが固執されているのだ。だがいっぽう、ここで帝国の復活を言えば、それは「帝国」という理念を介して帝国主義への加担を意味することになるだろう。

これらの動きのなかで世界は、帝国でも連邦でもない、もう一つの解決法にむかって進んでいるのである。ここでアーレントはそれを《さまざまな帝国主義的な情熱》という漠然とした言葉で暗示するだけだが、何年か後になるとそれを指すのに別の語彙をつかうようになる。それは「全体主義」という語である。そのひとつはいま「第三帝国」という具体的な形であらわれているものだ。ここでの《帝国主義的な情熱をかきたてる》という言葉は曖昧であり切迫性を欠いているが、もしそんなことになったら、という仮定のもとで彼女が口にしているのは「天 der Himmel の助けを祈るしかない」という、アーレントにしては破格の用語法である。なぜそんな誇大な言い方がとつぜん選ばれるのかといえば、彼女はこの一九四三年という時点で、やがて

「全体主義」と呼ばれることになるものが中央ヨーロッパでどんな事態をもたらしつつあるのか、不確かではあるがすでに知っていたからだ。

道徳状態の溶解

すでにのべたようにアーレントは「シオニズム再考」というこの論考を、一九四四年アトランティック・シティでの世界シオニスト会議の報告からはじめている。この会議は、いくつかの点で現在にいたるイスラエル国家の性格を決定づけるものであり、そこでの議論の内容は四年後イスラエル建国宣言(独立宣言)のなかにいっそう具体的な形をとることになる。

パレスチナの地に自らの空間を得ることは、火星や木星に国家を作ることとは違っていて、人が住んでおり、それまで英統治という形ではあれ政治的権力が存在した空間に、おり重なるように別空間をつくることを意味している。そこにもともとあった民族空間・政治空間をどうするのか。先住者との共存の問題をどうするのか——は、古くは世紀転換期のシオニストの中心人物マックス・ノルダウらが問いかけていたものであり、またつい二年前ビルトモアでの世界シオニスト会議でも、修正派が勝利したとはいえ、建設されるべきイスラエルのなかで少数民族(それはかならずしも人口の絶対数が少ないということではない)となるはずのアラブ人への対処が議論されていた。ところがこの一九四四年の決議は違う。この宣言からは、国内少数民族への言及そのものが消えているのである。

少数民族としてのアラブ人を配慮していた一九四二年のビルトモア大会と、一九四四年のアトランティック・シティでの、ヴァイツマンら一般シオニストに対するベン・グリオンら修正派の最終的勝利。つまりこの二年間のあいだにシオニズムは、ユダヤ人自身を世界の中心に置いた独我論的物語に移行してしまい、アラブ人の存在について「考えることをやめた」のである。この境い目の時期になにが起こっていたのか。

一九四二年と一九四四年との間の年、一九四三年はどういう年だったのか。それはナチスによるユダヤ人絶滅計画の実行が、表向きの否認とはうらはらに、徐々に滲みだすように国際社会に周知されていった年である。ホロコーストの想像を絶する実態が世界に知れ渡っていった過程は、シオニズム運動のなかで、その主導権が一般シオニストから修正派へと移っていった過程とかさなっている。前者が後者をもたらしたのだ。シオニズムの「独我論」化は、そのはじまりの段階から、ホロコーストの「想像を絶する」実態が知れ渡るのと、折り重なるように並行していたのである。

のち一九六四年、前記の講演草稿のなかでアーレントは次のようにのべている。

《起こってしまったことをなんとか心に持ちこたえてゆこうとして、私たちの多くはこの二〇年間を費やしてきました。起こってしまったことというのは、一九三三年の出来事ではなく、一九四一年、一九四二年、そして一九四三年、そしてついに惨憺たる最後にいたるまでの出来事のことです。私が言うのは個人的な悲嘆、個人的な苦悶のことではなく、驚愕そのもののことです。この驚愕に見舞われた当事者たちは、どのような場所でそれに立ち会ったとしても、現在私たちが見るところ、だれ一人としてこれまでにそれと折り合いをつけることができていません。このことがらの錯綜した全体を、ドイツ人たちは「克服されざる過去」という、きわめて疑わしい概念によって刻印してきました。しかしこのドイツの過去は、かくも多くの年々をへたあとでも、文明化された世界の大部分にとって、いまだ克服されようのないものと思われます。当時この剝き出しの怪物の姿をとった驚愕そのものは——私だけではなく、他の多くの人々にもそう感じられたのですが——すべての範疇を破壊し、法的言語のあらゆる尺度を吹き飛ばしてしまうものと見えました。そこにあったのは、人間が適切に処罰したり許したりすることなどできないような何ものかでした。言葉なき戦慄のなかで私たち誰もが、古くからの道徳的な教えなど忘れてしまったのではないかと思います。》（アーレント一九六四）

絶滅計画とその実行は、あれやこれやの道徳的原理や徳目を破壊したのではない。法的言語のみならず伝承された道徳のカテゴリーや尺度の全体を吹き飛ばしてしまうようなものだった。このとき起こった法的・道徳的諸カテゴリーの溶解ということが、その後世界全体の道徳状態を根源的に損傷している。もはや公的領域に道徳状態と言うものは存在しない。先住のアラブ人について「考えるのをやめた」独立宣言の語りにとっても、そのことは強い伏線になっていたのである。

イスラエル独立宣言

一九四八年テルアビブの暫定国家評議会で署名されて、次の日から発効したイスラエル独立宣言は一篇の物語的記述になっている。その意味では政治文書としては奇妙に独我論的なものである。それは概略、こういう内容を語っている。

——パレスチナはユダヤ民族が最初に集合して一つになった土地であり、そこで「聖書」が生まれた土地である。紀元七〇—七三年のイスラエル神殿の（ローマ軍による）解体によって、ユダヤ人のディアスポラが始まるが、それ以後現在にいたるまで世界各地に散在するユダヤ人たちは、パレスチナへの帰還をひたすら夢見てきた。一八九六年ヘルツルが『ユダヤ人国家』でこの夢に具体的な形をあたえて以来、世界シオニスト機構は「ユダヤ民族のための、公的・法的に確証された故郷の地 Heimstätte」を、このパレスチナに建設することを目指してきた。一九一七年のバルフォア宣言はこの故郷建設の権利を承認し、国家を建設しようとするユダヤ民族の権利を宣言し、国連（国際連盟）もまたこれを承認して、ユダヤ民族がイスラエルの地との歴史的な結合をはたすこと、その「国民的な故郷の地」の再建の権利とに、国際的な有効性をあたえた。それ以後、ヨーロッパで迫害を受けたユダヤ人たちのパレスチナ入植が続いた。ユダヤ人民をおそい、数百万のユダヤ人の生命を奪い去ったあの大虐殺は、ユダヤ人問題の解決のために、「一国民としての地位を彼らに付与すべきユダヤ人国家を、イスラエルの地につくること」の必要性をあらためて証明した。生き残ったユダヤ人、パレスチナに集結したユダヤ人はユダヤ軍を組織して連合国United Nationsの一員として戦った。このことにより、戦後国連（国際連合United Nations）を創設し、戦後の国際秩序を作り上げる国々の一つに加わる権利を獲得した。一九四七年国連総会は、イスラエルの地における、英国統治の終わりとユダヤ人の国家建設とを提唱する決議を採択し、さらに「この地の住民に対してこの決定の実施に必要なあらゆる措置をとること」を呼びかけた。この決議を受けてわれわれは、いまこのパレスチナの地にイスラエル国家の樹立を宣言する——

この記述の中でユダヤ人が、民族Volkから国民Nationへ、イスラエルがユダヤ人の故郷の地（迫害されたら逃げ込める場所）としてのHeimstätteから国民国家Nationalstaatへと変貌してゆくことがわかるだろう。イスラエルを純粋なユダヤ人の共同体とすることが自明のように語られる。それを前提として国家建設へのアラブ人の無条件の協力が求められる。

《一九四七年十一月二九日国連総会は、イスラエルの地にユダヤ人国家の設立を求めることを決議した。国連総会はこの地の住民たちに、この決議の遂行のためにそれぞれの必要な措置を取るよう要請した。[*3]》

《この数か月の間われわれを襲いつつある血なまぐさい攻撃のさなかにあっても、われわれはなおイスラエルに居住しているアラブ人に向かって呼びかける。平穏を守り、完全な市民的同権およびすべての暫定的・永続的な国家機関における相応の代行権に基づいて、この国家建設に参加することを》——この数カ月の血なまぐさい攻撃とは、アラブ人からユダヤ人に対するものであり、その動きは、入植するユダヤ人に対する一九二九年の「嘆きの壁事件」やイスラム国家の建設を目指すムスリム同胞団などの動きにまで遡ることができる。これらの激しい衝突のただなかで私たちイスラエル国民は、イスラエル国内に残っているアラブ人に呼びかけるが、もう抵抗はやめなさい。そしてユダヤ人のためのこのイスラエル国家の建設に協力しなさい。そのかぎりでわれわれはあなたがたを受け入れよう、と。

イスラエル国家はひとつの歴史物語を語り、全国民をその中の登場人物にする。道徳はほんらい他者との間での関係的な語りであるが、ここで道徳はひとつの物語の内部構造になっている。

復讐について

戦争というのは国際関係の中で起こる国家の行動であって、その表向きの目的は国際関係の中で自国を優位に立たせること、その利権を守り拡大すること、領土を拡大すること……などである。しかし戦争はしばしばそういう目的を超えて、殺戮として続行されることがありうる。そうなると、戦争の合目的性は消えて、まったく別の由来を持つ「殺戮」が、それ自体として荒れ狂うことになる。自国の優位を犠牲にしても、自国の破滅と引き換えにしても、殺戮は遂行される。殺戮と化してしまえば、戦争は合目的的なものではない。では、「目的」でないならばいったい何が、これらの殺戮をひきおこすのか。

一九四八年のイスラエル「独立宣言」が語るのは、「想像を絶する」暴力を受けたのはユダヤ民族であるから、われわれユダヤ人は、ひとつの国民として、戦後世界の中で先頭に立って自己主張する正当な権利を、まったく自明なこととして持っている、ということである。しかし厳密に考えれば、最大の犠牲を被ったものであることと、あらたな世界秩序をつくりだす正当な道徳的資質を持っているということとは、同一のことではない。それは「唯一の被爆国として」という言葉が、戦後世界の中での、その被爆国の道徳性を保証しないということと同じである。その論理的な飛躍を「われわれ」という語の独我論的な性格がつないでいるように見える。物語的な話法の中では、イスラエル国家の成り立ちが、何らかの、未来に置かれた「目的」から説明されるのではなく、もっぱら過去の事実から説明されている。

第二次世界大戦後の国際秩序は、一般的にはそのなかに「復讐」の契機が含まれていることを、表だって認めてはいない。そのことを「日本国憲法」のなかで、もっともお行儀よく文章化している部分をとりだすと、

《われらは平和を維持し専制と隷従、圧迫と偏狭を地上から永遠に除去しようと努めてゐる国際社会において名誉ある地位を占めたいと思ふ。（略）われらはいづれの国家も自国のことのみに専念して他国を無視してはならないのであって政治道徳の法則は普遍的なものでありこの法則に従ふことは自国の主権を維持し他国と対等関係に立たうとする各国の責務であると信ずる。日本国民は国家の名誉にかけ全力をあげてこの崇高な理想と目的を達成することを誓ふ》。ここから次の第九条へとすすむと、《日本国民は正義と秩序を基調とする国際平和を誠実に希求し国権の

発動たる戦争と武力による威嚇又は武力の行使は国際紛争を解決する手段としては永久にこれを放棄する。前項の目的を達するため陸海空軍その他の戦力はこれを保持しない。国の交戦権はこれを認めない》。

この日本国憲法の前文と条文が一九二九年のパリ不戦条約からとられていること、つまりそれは国際社会の理念を一九二〇年代のヨーロッパの国際関係から引証しており、しかもヨーロッパによっては担いきれなかったこの理念を、第二次世界大戦の敗戦国である日本に「押し付ける」ようにして成り立っている——このことについては、別のところですでにのべた。[*4] したがって叙述は、国際社会とはどのようなものであるべきか、を述べるところからはじまり、それに日本国民の理念を合致させるように記述がすすんでいる。この文章は理想と規範だけからできているので、過去形の文章が欠けており、「われら」が「日本国民」を指すにもかかわらず(もちろんその実際の書き手が日本国民の一人でないことをだれもが知っている)、それがどういう国民であるかを語っておらず、それがこれまでたどってきた暗く深い物語にまったく言及していない。

イスラエル建国宣言と日本国憲法は、古い民族が、第二次世界大戦以後の世界で国民国家をはじめて、あるいはふたたび立ち上げようとするときの、二つの対極的な論理を示している。両者はおなじ第二次大戦後の国際関係に向かって発せられておりながら、その叙述の構成がまったく異なっている。日本国憲法が語る理念が、一九二〇年代の終わりの、道徳状態が国際的理念の上でまだ生きている時代の世界状態に対応した抽象的な世界普遍物語であるとすれば、一九四八年にベン・グリオンによって読み上げられた「イスラエル建国宣言（独立宣言）」のほうは、その一段階あとの（もっと絶望的な）世界段階に対応しており、道徳状態が白紙還元された後によみがえった神話的独我論的な物語になっている。

それはユダヤ人が二千年の間たどってきたディアスポラの歴史と、それが最後に襲われることになったホロコーストとに言及し、それをイスラエル国家建設の根拠として述べている。――《われわれの時代においてユダヤ民族に襲い掛かり何百万のユダヤ人を殺戮したあの破局は、ユダヤ人の故郷喪失状態が、ユダヤ人国家をイスラエルの地に再建することによって解決されなければならないということをあらたに、反論の余地なく証明した。このイスラエル国家の門戸はすべてのユダヤ人に向かって開かれており、かつユダヤ民族に、諸民族同胞のなかで同資格の国民たる資格を保証するものである》。シオニズムの論理を国法の文体で反復したこの文章は、物語の筋書として明解であるように見える。だが概念の論理としてはこの文章は難解なものである。虐殺されたのはユダヤ人である人々であり、概念の言葉におきかえればユダヤ「民族」と呼ばれるべきものだ。つまりこの文章は、ユダヤ「民族」が虐殺されたことをもって、それが戦後国際秩序のなかにひとつの「国民」としてイスラエルに「国家」を持つ権利を論証しようとしている。この論証はなりたつのか。この独立宣言は人間・民族・国民・国家……の概念的な区別を溶解させているように見える。

対象を替えた反復

日本国憲法がもっぱら理想と規範だけから出来ていて一切の過去形をもたないのと対照的に、「イスラエル独立宣言」は「民族」が過去において被った深い傷だけからこの「国民」の成り立ちを説明している。だがすでに述べたとおり、過去において深い傷を負っていることが理想と規範の正しさを保証しないことは、表向き語られている理想と規範の高さが過去におけるその根拠の確かさを保証しないことと同じである。

「復讐」などという情動をあらわす概念が、国家間の政治的文脈に介入するのは奇妙なことだと思われるかもしれない。だが政治的な関係に埋め込まれている道義性の問題を評価することは、過大であっても過小であってもいけない。たとえば政治論理的な欠損部分を補完するのはかつては暗黙の道徳律であった。しかし世界の道徳状態は世界戦争と大量虐殺によってすでに溶解してしまっているので、そのかわりにこの欠損部分に入り込んでいるのは、復讐という強力な情動である。そして復讐のメカニズムは、戦後の国際関係の表面からは消し去られているが、その奥深くに生きているし、現に作動している。

日本人もまた、アメリカ人による原爆投下をほんとうは忘れているわけではない。また自国の属国性に気づいていないわけではない。忘れているふりをしているのであり、気づいていないふりをしているのだ。それらは表だって語られないぶんだけ、潜在的な執拗な反米意識として、合理的な議論とはまったく別の系列で、繰り返し反復されている。もうひとつ例をあげれば、現在の世界の均衡を作り上げているのは、たとえ表層の意識からは消し去られていても、まちがいなく「核抑止」の論理である。「核抑止」が、どのような国家の心理学に基づいて機能するかを考えれば、復讐・報復の絶対性があらかじめ組み込まれていることなしに、この考え方自体が成り立たないことは、論理的にあきらかである。

《それをたんなる復讐願望とだけ考えるなら、それは馬鹿げた話です。そんなふうに考えてしまうと、そもそも掟と刑罰がつくられたのがつまるところ復讐の無限の悪循環を断ち切るためだった、という事実を度外視することになるからです》(前出)。――このアーレントの言葉の表向きの意味は――既成の法や刑罰の規範が崩壊した後で、私たちには復讐の欲望だけが残るのではない。それは復讐の無限の連鎖をくいとめるために、なんらかの法や刑罰をつくりだそうとするときの「義」への契機を含んでいる。そこからあらたな道徳性の基盤をつくりなおさなければならない――というものである。だがこの文章が、その裏側で語っている論理をとりだせば、それは決して、ふつうに受け取られるような啓蒙主義的なものではありえない。あらゆる法や刑罰の規範が崩壊してしまった後、私たちにはナマな生体反応のようなものが残され、私たちはそこからあらたな道徳律を作り出すしかないのだが、この残されたナマな感覚は、最初から「義」の感覚へと通路づけられているのではない。濃厚な「復讐」の感覚の直接性がまず最初にあり、義は、復讐が無限の悪循環におちいることを避けるために、かろうじてそこにひきよせられる――とアーレントは言っているのである。「義」の感覚が、復讐への欲望の直接性を、最初から排除した形であたえられていることはありえない。だとすれば、伝承された法や刑罰の規範が崩壊してしまったとき、そこに最初に姿をあらわすのは、法的な規範がその成立のごく初期に禁じ手にしていたもの――「復讐」の情動である。

「なぜ人を殺してはいけないのか」という問いに、西欧由来の道徳律は答えることがむずかしい。「復讐」についても同じことが言える。それは反復であり、その反復はとても古くから始まっている。ナチスによる大量虐殺は、彼らが遂行した「戦争」とは直接関係がない。むしろ戦争の遂行にとって、大きな妨げになるようなものだった。それは第一次大戦後の戦勝国たちの（それ自体がビスマルク帝国に対する「復讐」である）ヴェルサイユ体制に対する過剰な「復讐」という文脈からしか理解できない。「復讐」は主体と対象を入替えながら反復される。「復讐」は自分が自分であるために、かつてこの自己同一性を犯したものに対して、ふるわれる。「復讐」は、「愛」というものがそうであるように、自分が、その始まりにおいて自分でないものに由来しているということからはじまって、いわば生体反応的に、人間から離れることのない根源的な情動である。それは存在的な反復であって、いわば存在にはりついているものであるために、主体の特定性と同様、対象の特定性をあまり必要としない。ユダヤ人の絶滅は、対象がユダヤ人でなくてもよかったのである。

今回のパレスチナにおける戦争は、「戦争」としては、誰にとってもそれほど意味のあるものだとは思えない。最初にアラブの一軍事組織による奇襲とユダヤ人の大量殺戮があった。だがそれに対する反撃は、現在の表向きの国際秩序からみても、あきらかに過剰なものとなっている。民族浄化あるいはジェノサイドだから、という戦争目的によってこの過剰さを否定するのは、本質をはずしている。西欧的な道徳律を破壊するものを、同じ西欧の道徳律によって裁くという同語反復になっているからだ。それは「戦争」を裁けるかもしれない。だが「殺戮」はどうなのか。

復讐というのは同じことを反復することである。一度目は向こうからこちらへ。二度目はこちらから向こうへ。また主体と対象とを別の場所へ移して向こうからこちらへ、こちらから向こうへ。一度目「向こう」にいたのは大量殺戮者であり「こちら」にいたのはユダヤ民族であった。二度目「こちら」にいるのはイスラエル国民・国家であり「向こう」にいるのは「イスラエル国家の存立を脅かす者」たちだ。ナチスによるユダヤ人大量殺戮があらかじめあらゆる論理的カテゴリーや尺度を廃棄してしまっているので、ただ「こちら」の生体反応・存在反復のようなものだけが、論理にかわってそれをつなぐのである。[*5] それをするのは復讐の情動である。「こちら」のユダヤ民族とイスラエル国民が同一であることが断定できれば、「向こう」にいる「大量殺戮者」と「イスラエル国家の存立を脅かすもの」も同一であることになる。自分たちが地位・職業・性・年齢にかかわらず殺戮されたのだから、報復もまた地位・職業・性・年齢にかかわらず行われる。外に立っている者から見れば「敵」はまったく別のものに替わっているのに、内側から見れば、ここで起こっているのはひとつながりの復讐の劇なのである。

＊1　「独裁下における個人的責任 Personal Responsibility under Dictatorship」は講演原稿として一九六四―六五に英語で書かれたが、アーレントの生前未発表のもの。一九九一年にアイケ・ガイゼルによってドイツ語に訳されはじめて公刊された。ここでの日本語訳は、このガイゼルのドイツ語訳から訳した。のちジェローム・コーンによってリライトされた英語テクストが、コーン編『責任と判断　Responsibility and Judgement』に収められて二〇〇三年に刊行されている。ちくま文庫『責任と判断』（二〇一六年）に収められた中山元訳は、このテクストからのものである。

＊2　ここでの「シオニズム再考」からの引用は、Hannah Arendt: Die verborgene Tradition. Acht Essays. Suhrkamp Taschenbuch303. 1976 所収のドイツ語テクストから訳した。英語からの日本語訳は『パーリアとしてのユダヤ人』（未来社一九八九、寺島俊穂・藤原裕宣訳）に所収。

＊3　「イスラエル独立宣言」からの引用は、ヘブライ語原文からのドイツ語への翻訳によっている。

＊4　「エンテレケイアにいたる」（二〇一六）の14‐17の部分。拙著『吉本隆明からはじまる』（二〇一九）所収。または本書の「北緯五〇度」の「時空の置換」の項を参照。

＊5　アーレントは同趣旨の内容を、一九四八年に書かれ「アウフバウ」誌に発表された論考「まだ遅くはない」の中で、次のように述べている。ここで「気分」の変化として言及されているのは、国連の「パレスチナ分割・イスラエル独立」決議に続く時期アラブ人とユダヤ人とのあいだに起こった抗争によって、世界中のユダヤ人の論潮が、一気にシオニズム右派の主張に同一化していったことを指す。

《全世界のユダヤ人を覆うにいたったこの気分と、ついこのあいだヨーロッパで起こったカタストローフ（ホロコーストを指す――引用者註）との間の密接な関係を否定しようというのは浮薄な考えである。カタストローフに続いて起こったのは、容赦なく「根なし人間（displaced person）」にさせられた「生き残り」たちに対するさらなるあからさまな不正義、非情な仕打ちだった。こうした事態を受けていわゆる国民的性格Nationalcharakterのなかに驚くべき変化、瞬く間の変化が起こったのである。これまで二千年におよぶディアスポラ的心性のなかでは、生き延びることこそが最高の財産であり、「価値そのもの」であると考えられてきたのに、ディアスポラを終えようとしているいまになって、ユダヤ人たちはこの考え方をとつぜん止めてしまった。そしてほんの二、三年のうちに、反対側の極端へと落ち込んでいったのである。いまやユダヤ人たちは「生死を賭けた闘い」を信じており、「滅亡」ということが理性的な政治選択のひとつであると考えるにいたっている。》

あとがき

＊　言視舎の杉山尚次さんの提案で、この本の副題に「世界史」という語を入れることにした。これは私にとって荷の重すぎる言葉だが、とにかく「詩史」と「世界史」というふたつの語が副題にならぶことになった。ところでこの二つの語のなかで「歴史」が持つ意味は異なっている。そのことを注記すれば、この本をめぐる時間の観念の輪郭を、すこしはっきりさせることができるかもしれない。

＊　時間は自然的にはもともと円環するものとしてしか考えられない。だがそこに宗教的な救済の観念が入り込むと、時間の円環は一本の線に置き換えられる。それは堕罪という切断と、終末という切断との間にはりわたされている。いくつかのことがらを線によってつなぐものを私たちはヒストリーと呼び、物語と呼んでいる。世界史は物語であり、一本の線あるいは複数の線からなる混線のようなものとしてイメージされることになる。

この連続性としての意味に対しては、しばしば疑義が語られる。歴史はひとつながりの線ではなく、いたるところで切断されており、飛躍しており、途中で消えたり、またとつぜん現れたりする。戦争とか革命とかいうのはひとつの時間のなかにならんでいる出来事ではなく、時間そのものの切断や、別の線への飛躍であるはずだ、と。

だが線形／非線形を対立させるこの考え方は、私をあまりなっとくさせない。ここで語られる切断や飛躍自体が、じつは線形な連続性を前提にしなければ考えられないものだからだ。切断や飛躍として現れるものは、せいぜいひとつの救済史をべつの救済史によって置き換える、線形なもののヴァリアントにしかすぎないのではないか？

＊ ところで私たちが「詩史」と呼ぶものは、それとはまったく異なった形をしている。そこで歴史が意味するのは、堆積ないし重層ということである。「いま・ここ」は何百年前も何千年前も同じ「いま・ここ」であったにちがいない。しかし時間がそこに降り積もり、前にあったものを覆い隠し、その下層を視野から消してしまう。時間は堆積し重層して分厚い地層になっている。
それは、以前にあったものを「抑圧」している、などと言えるかもしれない。だがこのとき下層に置かれたものは、ある方法で掘削すれば――あるいは「現在」のなかに細い通路のようなものをつくってやれば、とつぜん噴出することがありうる。詩の中では過去はとつぜん戻ってくるのだ。くりかえし時間の傷口のようなものがつくられ、そのたびに過去は不断に反復し回帰している。やがて傷口にあらたな瘡蓋のようなものがはりわたされ、それは重なり、その上にまた堆積は続く。こうして「詩史」という語のなかで「歴史」は、何かと何かを繋ぐものではなくて、地層になって過去を覆い隠したり、また開口部をつくり不断に反復されたりしている。それは傷

ついて流血しまた回復する、ひとつの身体のようなものになる。

＊「世界は悲惨に満ちている」というとき、この言葉を私たちはしばしば無意識に、「世界は病んでいる」という意味で使っている。つまりどこかに無傷なもの、健康なものがあるかのような――場合によっては私たち自身が無傷で健康な人であるかのような、ときとしてあたかも自らが医者であるかのような――視線を使ってそれを言う。

しかしそれは巧妙な嘘である。病気は決して健康をもってそれに立ち向かわせることはできない。病気はつねに、その病気より「もう少し深い」病気によって、それに立ち向かうことができるだけだ。「宇宙」から見るならば、あるいは「存在」から見るならば、「世界」そのものがひとつの病気の名前であることはあきらかだからだ。この前提なしに、私たちは戦争や殺戮について語ることはできない。

私たちは「世界」のなかに生きる存在だ。そしてこの「世界」という病気を必須の条件として生息する存在こそが人間と呼ばれている。しかし人間はその存在の中に「宇宙」に向かっての、「存在」に向かっての開口部を持っている。「世界」がひとつの病気の名前だとすれば、私たちは自分たちが持っているこの開口部を通るときだけ、この「傷口」を通るときだけ、「世界」という病気の、深いメカニズムに触れる。これが、私たちが「詩」というものを持っていることの意味である。

＊　この本をまとめる過程で、「ユーラシア的戦争」という語が浮かんできた。それは地政学的な意味を持つだけではなくて、ひとつの地層——歴史的な段階を指す言葉である。

権力が生じ、国家が生まれ、国家間に戦争が起こり、それが殺戮をもたらす——などと人は考える。この順序は「世界史」のなかで反復され、うち固められてきたものだ。するとその逆もまた言えるように思えてくる。殺戮を否定しようとしたら、殺戮をもたらす戦争を否定しなければならない。戦争を否定するには、戦争をもたらす国家を否定しなければならない。国家を否定するには、国家を生み出す権力を否定しなければならない。権力を否定するには、権力的なものをわれわれの起居のなかから、一挙手一投足のなかから、一文字一音声のなかから、あらゆる思考や表象のありかたのなかから、微分化し、析出し、問い詰め、告発しなければならない、などと。——だがほんとうにそうだろうか？　それは世界の一方の側においてだけ通用する真理にすぎないのではないか？

＊　現在私たちが目にしているのは、西回りの世界では自明だったこれらのことが、みるみるその自明性を失ってゆく事態である。権力が生じ、国家が生まれ、国家間には戦争が不可避であり、戦争は殺戮をもたらす——などと言われていたのに、現実が示しているのは、この順序や接続関係がいったん完結して「技術」がそれをシステムとして駆動するようになれば、端的に殺戮者が、

悪者がそれを「使う」ようになる、ということだ。そこからさき思考は宣伝に置き換わり、論理や啓蒙は洗脳に置き換わり、国家でないものが戦争を起こし、戦争とは関係がないところで殺戮は遂行される。

もともと殺戮は戦争とは関係がなく、戦争は国家とは関係がなく、国家は権力とは何の関係もないのではないか？　これらはたがいにまったく別系列の概念なのではないか？　すくなくとも現在、私たちはすでにそれらを別々に考えるべき、あたらしい段階にいるのではないか？

＊　この本は「満州」にはじまって、シオニズム・イスラエルで終わっている。この二つは、人々の自生の生活や秩序を、二〇世紀はじめの理念・理想に置き換える「人工国家」であることにおいて同じである。だがこの二つは正反対の運命をたどる。前者は日本帝国主義の傀儡として、世界戦争のなかで国際社会を敵にまわすことによって消滅する。後者は世界戦争後の国際社会の力学のなかで、国際社会の必要と心情によって作られ、現存している。

＊　本書の冒頭の文章「聖戦遂行型戦争機械について」を書いたのは二〇〇八年、いまから一五年以上前のことである。さらに遡ると、その一〇年ほど前から私は、日本の近代の変容と第二次世界大戦下における日本の現代詩人たちの思想転回を考える文章をいくつか書いていて、二〇〇六年それが『戦争詩論 1910 - 1945』（平凡社）としてまとめられた。「聖戦遂行型戦争機

械について」はその本の主題を引き継ぐようにして書かれた。

この本に収められたそれぞれの文章は、そのつど求めに応じて、あるいは必要に迫られて、だいたいその初出の時期に急ごしらえで書かれたものであり、それぞれのタイトルの下に記してある年・月は、これらの文章にとってとても大切な意味を持っている。言及されている事柄がいま視野のなかでどんなに遠ざかっているように見えていても、それはかならず反復され噴出することになるからだ。

＊ ここに収録した文章のうちのいくつかは『詩論へ』1・2・3に発表した。その場をともにしたのは北川透さん、藤井貞和さん、そして今はなき福間健二さんだった。『現代詩手帖』に発表した数編については、その時々の編集の方々、高木真史さん、亀岡大介さん、藤井一乃さん、小田康之さん、出本喬巳さんのお世話になった。そしてこれらの論を全体としての展望のなかに置くことができたのは、私のために何度も大きな誌面を割いてくださった『飢餓陣営』の佐藤幹夫さんのおかげだった。また山田英春さんは、詩集『アンユナイテッド・ネイションズ』のすばらしい装幀以来、『詩論へ』各巻の装幀・組版へと長い期間にわたって伴走していただいている。
いきあたりばったりに書かれた私の原稿を、今回一冊の本にまとめてくださったのは言視舎の杉山尚次さんだ。ただでさえ困難な状況の中で、そのうえさまざまな問題を抱えている私の文章に、こんなに迅速に形が与えられるとは思わなかった。世界は加速度的に混沌に向かっており、

そこからの出口のようなものは決して存在しない。そのなかで杉山さんの的確な判断と速度にぐいぐいひっぱられて、この本ができあがった。
みなさんに、あらためて心から感謝する。

二〇二四年五月三〇日

瀬尾育生

初出覚書

聖戦遂行型戦争機械について　「詩論へ 1」2009 年 3 月

二〇一〇年一一月のパラグラフ　「現代詩手帖・年鑑」2010 年 12 月

ハイブリッド純粋「霊性の東回りの道」（「詩論へ 2」2010 年 1 月）「超越性アレンジメント」（「詩論へ 3」2011 年 2 月）から抄出・再構成

北緯五〇度　「現代詩手帖」2015 年 11 月

占領状態について　「現代詩手帖」2019 年 5 月

ユーラシア・アレンジメント　「飢餓陣営 55」2022 年 8 月

一九四四年アーレントのシオニズム論から現在へ「飢餓陣営 58」2024 年 2 月

著者……瀬尾育生（せお・いくお）

1948年名古屋に生まれる。著書に、詩集『吹き荒れる網』（弓立社）『らん・らん・らん』（弓立社）『ハイリリー・ハイロー』（風琳堂）『現代詩文庫・瀬尾育生詩集』（思潮社）『DEEP PURPLE』（思潮社・高見順賞）『モルシュ』（思潮社）『アンユナイテッド・ネイションズ』（思潮社）、評論集に『鮎川信夫論』（思潮社）『文字所有者たち』（思潮社）『われわれ自身である寓意』（思潮社）『あたらしい手の種族』（五柳書院）『二〇世紀の虫』（五柳書院）『戦争詩論 1910 - 1945』（平凡社・やまなし文学賞）『詩的間伐——対話 2002 - 2009』（稲川方人との共著・思潮社・鮎川信夫賞）『純粋言語論』（五柳書院）『吉本隆明の言葉と「望みなきとき」のわたしたち』（言視舎）『吉本隆明からはじまる』（思潮社）などがある。

装丁…………山田英春
DTP組版…………勝澤節子
協力…………田中はるか

ユーラシア的戦争について
詩史と世界史をとおって行く

発行日❖2024年6月30日　初版第1刷

著者
瀬尾育生

発行者
杉山尚次

発行所
株式会社言視舎
東京都千代田区富士見2-2-2 〒102-0071
電話 03-3234-5997　FAX 03-3234-5957
https://www.s-pn.jp/

印刷・製本
中央精版印刷㈱

ISBN978-4-86565-268-0 C0036

言視舎刊行の関連書

978-4-905369-44-8

吉本隆明の言葉と「望みなきとき」のわたしたち

3・11大震災と原発事故、9・11同時多発テロと戦争、そしてオウム事件。困難が連続する読めない情況に対してどんな言葉が有効なのか。安易な解決策など決して述べることのなかった吉本思想の検証をとおして、生きるよりどころとなる言葉を発見する。

瀬尾育生著　　四六判並製　定価1800円＋税

978-4-86565-251-2

詩文集 織姫 千手のあやとり

新ジャンルの提案―詩で考える―現代の「詩人」が挑戦していない領域へ。次元を異にするものが、違いをふまえながら「環」としてつながっているところを、自然科学、哲学、古代史、社会論を串刺しにして思索。詩の新しいかたち。【作品論】瀬尾育生

村瀬学著　　Ａ５判並製　定価1900円＋税

978-4-86565-262-8

自伝的革命論
〈68年〉とマルクス主義の臨界

名著『テロルの現象学』前史。はじめて系統的に記述される笠井潔の「革命家」時代。〈68年〉精神が切り拓いた地平と「未決の問い」が露出する。マルクス主義をまっこうから拒絶、半世紀前から変わらない圧倒的な思考と理論構築。

笠井潔著　　四六判並製　定価3200円＋税

978-4-86565-233-8

新・戦争論
「世界内戦」の時代

ウクライナ-ロシアの戦争、中国の大国主義は、２１世紀型新・戦争概念「世界内戦」の概念ぬきには理解できない。この事態を10年前から予見していた論客が、世界規模で進む「没落する中流」と戦後日本社会の欺瞞、空洞化を指摘。

笠井潔著　　四六判並製　定価2200円＋税

978-4-86565-263-5

明日戦争がはじまる 対話篇

シロウトが語らずして誰が戦争を語るのか。戦争をめぐる語り口を刷新。詩で戦争を止める？「明日戦争がはじまる」で世間を騒然とさせたパンク詩人とやまゆり園優生テロ事件を追うジャーナリストが「戦争」に落とし前をつける。

宮尾節子、佐藤幹夫著　　四六判並製　定価2000円＋税